Los volátiles del Beato Angélico

Antonio Tabucchi

Los volátiles del
Beato Angélico

Traducción de Javier González Rovira
y Carlos Gumpert Melgosa

EDITORIAL ANAGRAMA
BARCELONA

Título de la edición original:
I volatili del Beato Angelico
© Sellerio editore
Palermo, 1987

Portada:
Julio Vivas
Ilustración: «La Virgen y el niño» de Jean Fouquet, *c*. 1450,
Musée Royal des Beaux-Arts, Amberes

Primera edición: enero 1991
Segunda edición: enero 1997

© EDITORIAL ANAGRAMA, S.A., 1991
Pedró de la Creu, 58
08034 Barcelona

ISBN: 84-339-1129-5
Depósito Legal: B. 3497-1997

Printed in Spain

Liberduplex, S.L., Constitució, 19, 08014 Barcelona

Los volátiles del Beato Angélico

NOTA

Hipocondrías, insomnios, impaciencias, desazones, son las musas cojas de estas breves páginas. Hubiera querido titularlas *Extravagancias*, no tanto por su carácter como porque muchas de ellas me parecen vagar en un propio y extraño fuera que no posee un dentro, como astillas a la deriva supervivientes de un todo que nunca ha existido. Extrañas a cualquier órbita, tengo la impresión de que navegan en espacios familiares y, sin embargo, de ignota geometría; llamémoslas la maleza doméstica: las zonas intersticiales de nuestro cotidiano deber ser o ciertas verrugas de la existencia.

Por otro lado, hay otras páginas, como por ejemplo *Los archivos de Macao* y *Pretérito compuesto. Tres cartas*, que son excéntricas a sí mismas, prófugas de la idea que las pensó. Como novelas y cuentos frustrados son sólo pobres hipótesis, o espurias proyecciones del deseo. Tienen una naturaleza larval; se exhiben aquí como criaturas en formol, con esos ojos demasiado grandes de los organismos fetales: ojos que interrogan. ¿A quién interrogan?, ¿qué quieren? No sé si interrogan a alguien o quieren algo, pero considero más delicado no pretender cosa alguna de ellos, porque creo que la dimensión interrogativa es prerrogativa de los seres que la Naturaleza no ha llegado a completar; y es lo que está notoriamente incompleto lo que tiene derecho a establecer las preguntas. Y, sin embargo, no podría negar que amo estas lagunosas prosas confiadas a un cuaderno que por una inconsciente forma de fidelidad he llevado siempre conmigo en estos últimos años. En ellas están, bajo la forma de cuasicuentos, los zumbidos que me han acompañado y me acompañan: arranques, humores, económicos éxtasis, emociones verdaderas o supuestas, rencores y nostalgias.

Así pues, más que cuasicuentos, diría que estas páginas son un «rumor de fondo» hecho escritura. Con un poco más de falta de prejuicios por mi parte habrían merecido como título *El asno de Buridán*. Me lo ha prohibido, más que un residuo de orgullo, que a menudo es una forma sublimada de vileza, la idea de que si a los perezosos por «rumor de fondo» no se les concede ni la opción ni la plenitud, les queda al menos la posibilidad de algunas escuálidas palabras, y más vale decirlas. Una forma de conciencia que no debe ser confundida con el noble estoicismo, pero tampoco con la resignación.

A. T.

Algunos de estos textos han aparecido ya en revistas italianas o extranjeras de las que me sería difícil proporcionar las indicaciones bibliográficas precisas. Quiero, sin embargo, señalar el lugar en que han aparecido dos textos que están ligados a dos amigos míos. Entre las cartas de *Pretérito compuesto*, aparecidas en *Il cavallo di Troia*, n.º 4, 1983-84, la de don Sebastián de Portugal a Francisco de Goya estaba dedicada a José Sasportes, a quien renuevo la dedicatoria. *Mensaje desde la penumbra* acompañaba al catálogo (Ayuntamiento de Reggio Emilia, 1986) de la exposición de Davide Benati, *Tierras de sombra*, y está inspirado en su pintura.

LOS VOLATILES DEL BEATO ANGELICO

El primer volátil llegó un jueves de finales de junio, a la hora de vísperas, cuando todos los frailes estaban en la capilla para el oficio. Fray Giovanni de Fiesole, en su interior, se llamaba todavía a sí mismo Guidolino, que era el nombre que había dejado en el mundo al ingresar en el claustro; se encontraba en el huerto recogiendo las cebollas, era su tarea porque, al abandonar el mundo, no había querido abandonar el oficio de su padre Pietro, que era hortelano, y en el huerto de San Marcos cultivaba judías, calabacines y cebollas. Las cebollas eran de las rojas, con el bulbo grueso, muy dulces tras una hora en remojo, pero que hacen lagrimear bastante los ojos al limpiarlas. Las estaba metiendo dentro del sayo recogido como un delantal y oyó una voz que llamaba: Guidolino. Alzó los ojos y vio al volátil. Lo vio a través de las lágrimas de cebolla que le llenaban los ojos y a causa de ello permaneció mirándolo fijamente un momento, porque su perfil estaba ampliado y deformado por las lágrimas como por una lente extravagante, y guiñó los ojos para que las pestañas se le secaran y después volvió a mirarlo.

11

Era una criaturita rosácea, de aspecto suave, con bracitos amarillentos como los de los pollos desplumados, huesudos, y dos patas muy delgadas también, con las junturas prominentes y los dedos callosos como los de las gallinas. Tenía un rostro de niño anciano, pero terso, con dos ojos negros y grandes y vello cano en lugar de cabellos; y lo miraba, batiendo cansadamente los brazos como la pantomima de un vuelo que no podía reemprender, cual si fuera un movimiento repetitivo y obligado. Se había quedado atrapado entre las ramas de un peral, que son aristadas y nudosas, y que en aquel momento estaban cargadas de peras, de modo que a cada movimiento del volátil alguna pera madura caía y se reventaba contra los terrones. Estaba en una posición muy incómoda con las patas atrapadas por dos ramas que sin duda se le clavaban en las ingles, el tronco al sesgo y el cuello torcido, porque si no estaría obligado a mirar al cielo. De los omóplatos, como dos increíbles velas rectangulares, le nacían dos enormes alas que cubrían todo el follaje del árbol y que se movían con la brisa junto a las hojas del peral. Estaban hechas de plumas ocres, amarillas, turquesas y de un verde esmeralda como el del martín pescador, que de vez en cuando se abrían en abanico hasta casi tocar el suelo y se cerraban después, rapidísimas, desapareciendo una dentro de la otra.

Fray Giovanni se enjugó los ojos con el dorso de la mano y le dijo: «¿Eras tú quien me llamaba?»

El volátil negó con la cabeza, y manteniendo el dedo de una pata tendida hacia él como si fuera un índice, le guiñó un ojo.

«¿Yo?», preguntó fray Giovanni con estupor.

El volátil movió la cabeza con gesto afirmativo.

«¿Era yo quien me llamaba?», repitió fray Giovanni.

El volátil cerró esta vez los ojos y los abrió después, de nuevo en señal de afirmación, o quizá por cansancio, quién sabe: porque estaba cansado, se le veía en la cara, en las pesadas ojeras violáceas que le rodeaban los ojos, y fray Giovanni vio que tenía la frente perlada de sudor, como un retículo de gotitas que, sin embargo, no caían, se evaporaban por la brisa de la tarde y después se formaban de nuevo.

Fray Giovanni lo miró y sintió piedad y murmuró: «Estás muy cansado.» El volátil lo miró con aquellos ojos grandes, húmedos, después cerró los párpados y movió algunas plumas de las alas, una pluma amarilla, una verde y dos azules, estas últimas tres veces, en rápida sucesión. Fray Giovanni comprendió y repitió silabeando, como quien aprende un alfabeto: «Has hecho un viaje demasiado largo.» Y después preguntó: «¿Por qué entiendo lo que dices?» La criatura abrió las patas cuanto la posición se lo permitía, como para dar a entender que no tenía la menor idea; y entonces fray Giovanni concluyó: «Se ve que te entiendo porque te entiendo.» Y después dijo: «Ahora te ayudo a bajar.»

Había una escalera de mano apoyada en un cerezo al fondo del huerto. Fray Giovanni fue a cogerla y, manteniéndola horizontalmente sobre los hombros con la cabeza entre un travesaño y otro, la llevó hasta el peral y la apoyó de modo que el final de la escalera quedase cerca de las patas del volátil. Para subir mejor se quitó el sayo, porque los faldones le impedían el movimiento, y lo puso sobre una mata de salvia junto al pozo. Mientras subía se miró las piernas delgadas, blancas, con escasos pelos, y pensó que sus piernas se parecían a las piernas del volátil, y sonrió por ello, porque las semejanzas hacen sonreír; después, mientras subía, se dio cuenta de que de la bragueta de los calzones se le había deslizado fuera la naturaleza, y el volátil la miraba fijamente con ojos atónitos, como estupefacto y atemorizado. Fray Giovanni se encogió, se recompuso y dijo: «Perdona, ésta es una cosa que tenemos nosotros los humanos»; y por un momento pensó en Nerina, en una zona de alquerías cerca de Siena, tantos años atrás, una muchacha rubia y un pajar; y después dijo: «A veces logramos olvidarlo, pero hace falta mucha voluntad y el sentido de las nubes, porque la carne es pesada y tira hacia el centro de la tierra.»

Sujetó al volátil por las patas, lo desencajó de las protuberancias del peral, evitó que el vello de la cabeza se enredara en el follaje, le cerró las alas y, manteniéndolo abrazado sobre la espalda, lo condujo a tierra.

La criatura era cómica: no sabía caminar. Cuando tocó el suelo basculó y cayó luego de lado y permaneció así, agitando frenéticamente las patas en el aire como un pollo enfermo; después se apoyó sobre un brazo y enderezó las alas haciéndolas crujir y girar sobre sí mismas como las aspas de un molino de viento, probablemente para incorporarse, pero sin conseguirlo, hasta que fray Giovanni lo levantó sosteniéndolo por las axilas, y mientras lo sostenía aquellas plumas frenéticas le cepillaban la cara haciéndole cosquillas, y él lo hacía caminar teniéndolo casi suspendido por aquella especie de axilas, como se sostiene a un niño; y mientras estaban así, las plumas, abriéndose en un alfabeto que fray Giovanni comprendía, le preguntaron: «¿Qué es esto?» Y él respondió: «Esto es tierra, esto *es la tierra.*» Y después, caminando de esa manera por el huerto, le explicó que la tierra está hecha de tierra, y de terrones, y que en los terrones crecen las plantas, como, por ejemplo: tomates, calabacines, cebollas.

Cuando llegaron a la bóveda del claustro, la criatura se detuvo bruscamente. Frenó con las patas, se puso rígido y dijo que no quería seguir adelante. Fray Giovanni lo depositó sobre el banco de granito adosado al muro y le dijo que le esperara; y el ser permaneció allí, sostenido por el muro, mirando fijamente el cielo con aire aturdido.

«No quiere estar bajo techo —explicó fray Giovanni al padre prior—, nunca ha estado bajo techo, dice que tiene miedo del espacio cerrado, que el espacio lo concibe solamente abierto, no sabe lo que es la geometría.» Y explicó también que a aquel ser podía verlo sólo él, fray Giovanni, y nadie más, porque sí, simplemente; y el padre prior, precisamente porque era amigo de fray Giovanni, podía quizá lograr oír el crujir de las alas si ponía atención, y le preguntó: «¿Lo oyes?» Y después añadió que se trataba de una criatura desamparada, llegada de otros espacios, errabunda; se habían perdido tres, eran un pequeño grupo de criaturas a la deriva, habían vagado así, por cielos y arcanos, hasta que éste

15

había caído en el peral. Y añadió que debían ponerlo a cubierto durante la noche con algo que le impidiera remontarse, porque cuando llegaba la oscuridad, aquella criatura sufría la fuerza de la ascensión, a la que estaba sometida, y si no tenía algo que la sujetara, partiría hacia lo alto, a vagar de nuevo en el éter como si fuera una astilla a la deriva, y no podían permitirlo, era necesario darle hospitalidad en el convento, porque a su manera aquella criatura era un peregrino.

El padre prior estuvo de acuerdo y pensaron en el refugio mejor: que estuviera al aire libre, sí, pero que evitara la forzosa ascensión; de modo que cogieron la red del huerto que protegía las hortalizas de erizos y topos: una red de bramante de cáñamo entrelazada por los artesanos de Fiesole, que trabajaban bien el mimbre y el hilo; y la dispusieron sobre cuatro palos que plantaron al fondo del huerto, al abrigo de la tapia, de manera que formase una especie de cabaña a cielo abierto; y sobre los terrones, que el volátil encontraba tan extraños, pusieron una capa de paja seca y depositaron allí a la criatura, que encontró la postura sobre un lado, después de algunos movimientos de su cuerpecito; se abandonó con voluptuosidad y, cediendo al cansancio que debía haber arrastrado por los cielos, se quedó dormido enseguida. Entonces también los frailes se fueron a dormir.

Las otras dos criaturas llegaron a la mañana siguiente, al alba, mientras fray Giovanni iba a hacer una visita al gallinero del huésped para ver si había descansado bien. Contra la claridad rosa del día inminente los vio llegar en vuelo rasante, al sesgo, como si intentaran desesperadamente mantener la altura sin conseguirlo, ondulando con un zigzag temible, y al principio pensó que se estrellarían contra la tapia; sin embargo, la evitaron por un pelo y a continuación, inesperadamente, recobraron altura. Uno se balanceó en el aire como una libélula y después se posó despatarrado sobre la tapia, permaneció allí un instante a horcajadas, como indeciso sobre de qué parte caer, y al final se derrumbó cabeza abajo entre las matas de romero del parterre. El segundo, por el contrario, dio dos vueltas de campana, casi una pirueta de saltimbanqui, como una extraña bola, porque era un ser redondeado, le faltaba la parte inferior del cuerpo, era sólo un busto rollizo que acababa con una cola verduzca, a cepillo, un plumaje amplio y tupido que debía ser su fuerza motriz y su timón. Y exactamente como una bola aterrizó entre las hileras de lechuga, donde rebotó dos o tres veces, y dada la forma y el color verduzco se podía confundir con una macolla de lechuga un poco más gruesa que las otras, que se iba de paseo por una broma de la naturaleza.

Fray Giovanni permaneció por un instante indeciso acerca de a quién ir a socorrer primero, después se decidió por el libelulón, porque le parecía más necesitado de ayuda, enredado de mala manera dentro de las matas de romero, cabeza abajo y con una pierna fuera que agitaba pidiendo ayuda. Parecía verdaderamente un libelulón cuando fue a sacarlo, o al menos le hizo este efecto; más bien un enorme grillo, eso parecía, largo y delgado como era, completamente descoyuntado, con los artejos muy finos, tanto que daba miedo que se rompieran al manipularlos; y casi translúcidos, verde claro como los tallos del grano aún no maduros. Y también el pecho era el de un grillo, un pecho en forma de cuña, puntiagudo, sin una pizca de carne, al contrario, todo huesos y piel: pero con un pelaje tan sutil que parecía un plumaje, dorado, como dorados eran también sus largos pelos lucientes que le brotaban del cráneo, casi cabellos, porque cabellos no eran, y que dada la posición, cabeza abajo, le ocultaban el rostro.

Con mano temerosa, fray Giovanni alargó el brazo y liberó la frente de aquellos cabellos: y se le aparecieron primero dos grandes ojos clarísimos, como de agua, estupefactos, y después un rostro delgado, bello, de cándida encarnadura y con las mejillas rojas. Un rostro de mujer, porque aquél era un rostro femenino aunque en un cuerpo extraño de insecto. Fray Giovanni dijo: «Te pareces a Nerina, una chica que conocí una vez y que se llamaba Nerina»; y comenzó a liberar a la criatura de los pinchos del romero, con cautela porque tenía miedo de romperla y porque tenía miedo de quebrarle las alas, que se parecían exactamente a las de las libélulas, pero más grandes y ahusadas, transparentes, de un rosa azulado, y de oro, con una retícula finísima como un velo. Tomó en brazos a la criatura, que era muy ligera —pesaba cuanto un haz de paja—, y caminando por el huerto fray Giovanni le iba repitiendo lo que ya había dicho el día anterior a la otra criatura; que aquélla era la tierra, y que la tierra está hecha de tierra, y de terrones, y que en los terrones crecen las plantas, como, por ejemplo: tomates, calabacines, cebollas.

Depositó al volátil en la pajarera, junto al huésped que allí se encontraba, y con premura fue a recoger a la otra criaturilla, la oronda, que había ido a parar a la lechuga. Que al final no era tan oronda como parecía porque su cuerpo se había como desenrollado y tenía la forma de un rizo, de un ocho, aunque incompleto, porque en efecto era sólo un busto que acababa en una bella cola. No era mayor que un niño de pecho. Fray Giovanni lo recogió y, repitiendo sus explicaciones sobre la tierra y los terrones, lo llevó hasta la pajarera, y cuando los otros lo vieron llegar comenzaron a agitarse de alegría. Fray Giovanni depositó la pelotita sobre la paja y permaneció allí, mirando con asombro cómo se intercambiaban golpecitos con las patas, afectuosas miradas y toques de pluma, hablando a su modo alado y riendo también por la alegría de haberse reencontrado.

Mientras tanto, se había hecho por fin totalmente de día y el sol ya abrasaba y, por temor a que el calor hiciera daño a aquellas extrañas carnes, fray Giovanni cubrió un lado del corral con follaje; después, tras haberles preguntado si le necesitaban todavía y decirles que, si le necesitaban, le llamaran aunque fuera con el roce, se marchó a recoger las cebollas que le hacían falta para hacer la sopa del mediodía.

Aquella noche el libelulón fue a visitarle. Fray Giovanni dormía, lo vio sentado en el taburete de la celda y le pareció que se despertaba de improviso, pero, sin embargo, ya estaba despierto. Era una noche de luna llena y el claro de luna dibujaba el recuadro de la ventana sobre el suelo de baldosas. Fray Giovanni sentía un intenso perfume de albahaca, tan fuerte que le daba una especie de ebriedad. Se incorporó sobre la cama y dijo: «¿Eres tú el que huele a albahaca?» El volátil le puso uno de sus larguísimos dedos sobre la boca como para darle a entender que no hablara, después se le acercó y le abrazó. Y entonces fray Giovanni, confuso por la oscuridad, por el perfume a albahaca y por aquel rostro cándido de largos cabellos, dijo: «Nerina, te estoy soñando.» El volátil sonrió, y antes de dejarlo le dijo con un murmullo de alas: «Mañana nos debes pintar, hemos venido a propósito.»

Fray Giovanni se despertó al alba, como hacía siempre, e inmediatamente después del primer rezo fue al corral de los huéspedes y eligió al primer modelo. Algunos días antes, con algunos hermanos que le servían de ayudantes, había pintado en la vigesimotercera celda del convento la crucifixión de Cristo, y había querido que sus colaboradores bañaran el fondo de verduzco, que es una mezcla de ocre, negro y cinabrio, porque quería que fuera el color de la desesperación de María, que señala al hijo crucificado con gesto pétreo. Pero entonces, como tenía allí a su disposición aquella criaturilla redondeada con la cola inaferrable como una llama, para aliviar el dolor de la Virgen y hacerle comprender que el sufrimiento de su hijo era voluntad de Dios, se le ocurrió representar a algunos seres divinos que como instrumentos del destino celeste se dispusieran a remachar los clavos de las manos y los pies de Cristo. En consecuencia, llevó al volátil a la celda, lo puso sobre un taburete, boca abajo para que pareciera estar en vuelo, y en una posición semejante lo pintó en los extremos de la cruz, representándolo con un utensilio para golpear los clavos en la mano derecha: y los frailes que habían pintado al fresco la celda con él miraban atónitos aquella extraña criatura, a la que él con increíble rapidez hacía surgir con el pincel desde las tinieblas de la crucifixión, y exclamaban a coro: «¡Oh!»

Así pasó aquella semana fray Giovanni, pintando y olvidándose incluso de comer. Añadió otra figura en un fresco ya terminado, el de la trigesimocuarta celda, donde ya había pintado el Cristo de la oración en el huerto. La pintura parecía ya completa, como si no hubiera más espacio; sin embargo, encontró un rinconcito sobre los árboles de la derecha y allí pintó al libelulón que tenía el rostro de Nerina, con sus alas translúcidas y doradas; y le puso en la mano un cáliz para que se lo ofreciera a Cristo.

Después, por último, pintó al volátil que había llegado el primero, y eligió el muro del pasillo del primer piso, porque quería una pared amplia con una buena perspectiva. Ante todo pintó un pórtico, con columnas y capiteles corintios, y después la vista de un jardín cercado por una empalizada. Y por fin colocó en pose al volátil, en posición genuflexa, apoyándolo sobre un sitial para que no se cayese; le hizo cruzar las manos sobre el pecho en actitud reverencial y le dijo: «Te cubriré con una túnica rosa, porque tienes un cuerpo demasiado feo. La Virgen la pintaré mañana, tú resiste esta tarde y después podréis marcharos; estoy haciendo una Anunciación.»

La tarde había concluido. Estaba cayendo el crepúsculo y sentía un cierto cansancio. Y también la melancolía que dan las cosas cuando se han acabado y ya nada se puede hacer y el tiempo ha pasado. Fue al corral y se lo encontró vacío. Cuatro o cinco plumas habían quedado enganchadas en la red, y se movían con el fresco viento que descendía de las colinas de Fiesole. Fray Giovanni tuvo la impresión de sentir un intenso perfume de albahaca, pero en el huerto no había albahaca, había cebollas, que desde hacía una semana se habían quedado sin recolectar y quizá ya se estaban estropeando y dentro de poco ya no servirían para hacer la sopa. Por eso fue a recogerlas antes de que se pudrieran.

PRETERITO COMPUESTO. TRES CARTAS

I. CARTA DE DON SEBASTIÁN DE AVIZ,[1] REY DE
PORTUGAL, A FRANCISCO DE GOYA, PINTOR

En esta dimensión mía de tiniebla en la cual el futuro ya está aquí, he oído contar que vuestras manos son insuperables pintando carnicerías y caprichos. Aragón es vuestra tierra, y ésta me es querida por su soledad, por la geometría de sus carreteras y por el silencioso verde de sus patios escondidos tras rejas redondas. Hay allí capillas oscuras con imágenes dolientes, reliquias, trenzas de cabellos en arquetas de cristal, fras-

1. Don Sebastián de Aviz, 1554-1578, último rey portugués de la dinastía Aviz. Subió al trono cuando todavía era un niño, y fue educado en un ambiente de misticismo, creció en la convicción de haber sido elegido por Dios para grandes empresas. Cultivando el sueño de someter Berbería y de extender su reino hasta la venerada Palestina, formó un enorme ejército compuesto en su mayoría por aventureros y pordioseros y se embarcó en una cruzada que marcó el desastre de Portugal. En las cercanías de Al-Kasar el Kabir el ejército portugués, exhausto por el calor y la marcha forzada en el desierto, fue aniquilado por la caballería ligera de los moros en agosto de 1578. Con la desaparición de Sebastián, que no tenía descendientes directos, Portugal sufrió la única dominación extranjera de su historia: anexionado a la corona de España por Felipe II, recuperó la independencia en 1640 tras una revuelta nacional.

cos de verdaderas lágrimas y de verdadera sangre... y pequeñas plazas donde la fuga de la bestia es imposible y donde hombres esbeltos juegan con ágiles pasos de bailarines. De nuestra península, vuestra tierra posee una virtud quintaesencial, en las líneas, en la fe y en la furia: de éstas elegiré algunas figuras del símbolo, que como signo heráldico de un país único vos marcaréis al borde del cuadro que os encargo.

Así pues, a la derecha pondréis el Sagrado Corazón de Nuestro Señor; y éste estará goteando y envuelto en espinas como en las estampas que los ciegos y los ambulantes venden en los atrios de nuestras iglesias. Sólo que estará fielmente reproducido según la anatomía del hombre, porque para sufrir en la cruz Nuestro Señor se hizo hombre y su corazón estalló humanamente y fue traspasado en cuanto músculo de carne y de dolor: con el dibujo de las venas, las arterias cortadas y el retículo minucioso de la membrana que lo envuelve, que estará abierta como una cortina y replegada sobre sí misma como la cáscara de un fruto. En el corazón será conveniente clavar la lanza que lo atraviese: ésta deberá tener la hoja en forma de gancho, de modo que produzca un desgarro del cual la sangre fluya copiosamente.

Al otro lado del cuadro, a media altura, de modo que coincida necesariamente con el límite del horizonte, dibujaréis un pequeño toro. Lo haréis sentado sobre las patas posteriores y con las patas anteriores grácilmente dispuestas hacia adelante, como un perro doméstico; y sus cuernos serán diabólicos y su aspecto malvado. En la fisonomía del monstruo prodigaréis el arte

24

de esos caprichos en los que os distinguís, y así sobre su hocico cruzará una mueca, pero sus ojos serán ingenuos y casi infantiles. El tiempo será brumoso, y la hora, la del crepúsculo. Una sombra vespertina, conmovedora y blanda, estará ya cayendo y velará la escena. Sobre el terreno habrá cadáveres, muchísimos cadáveres, amontonados como moscas. Vos los haréis así, tan bien como sabéis, incongruentes e inocentes, como son los muertos. Y junto a ellos, y entre sus brazos, pintaréis las violas y las guitarras que ellos se trajeron como compañía hacia la muerte.

En medio del cuadro y bien en alto, entre las nubes y el cielo, haréis un bajel. Este no será un bajel de verdad, sino algo así como un sueño, una aparición o una quimera. Porque será a la vez todos los bajeles que llevaron a mi gente a través de mares ignotos hacia lejanas costas o a los abismos infinitos de los océanos; y a la vez serán todos los sueños que mi gente soñó asomada a los escollos de mi país tendido hacia el mar; y los monstruos que éste creó en la imaginación y las fábulas, los peces, los pájaros deslumbrantes, los lutos y los espejismos. Y, al mismo tiempo, serán también mis sueños, que heredé de mis antepasados, y mi silenciosa locura. Al mascarón de este bajel, que tendrá figura humana, le daréis facciones que parezcan vivas y que recuerden lejanamente mi rostro. Sobre éstas podrá aletear una sonrisa, pero que sea incierta o vagamente inefable, como la nostalgia irremediable y sutil de quien sabe que todo es vano y que los vientos que hinchan las velas de los sueños no son más que aire, aire, aire.

II. Carta de Mademoiselle Lenormand,[1] carto-mántica, a Dolores Ibárruri, revolucionaria

Mis cartas representan damas vestidas con suntuosos brocados, cofres, castillos, y esqueletos graciosos y danzantes, en absoluto macabros, en las que predecir convenientemente los fastos y la muerte a príncipes delicados y a emperadores iracundos. No sé por qué ellas me piden que lea tu vida que todavía no existe, y que los muchos años que la separan de este tiempo mío actual me dejan sólo discernir a través de anchos y quizá engañosos retazos. Tal vez sea porque, no obstante tu humilde cuna, algo en tu destino participa de la naturaleza de los monarcas y de los poderosos: la profunda tristeza, como de una enfermedad mortal, de aquellos que tienen la facultad de decidir sobre la suerte de los demás, de disponer de los hombres, de mover en el tablero del destino, aunque sea por un noble fin, unas pobres vidas humanas.

1. Mademoiselle Lenormand fue la cartomántica de Napoleón y una de las más célebres videntes de la época.

Verás la luz en el corazón de España, en una aldea, cuyo nombre me es indeterminado, velada por un polvo negro y crujiente. Tu padre se sumergirá en la oscuridad cada mañana al alba y resurgirá de allí en la noche profunda, grave de suciedad y de cansancio, para dormir un sueño de piedra en un lecho cercano al tuyo. Silenciosa y pía, aterrorizada por eventuales desgracias, será tu madre, encerrada en la cáscara de un vestido negro. Te llamarán Dolores, nombre de cristiana reverencia, ignorantes de que sea un nombre presagio del sentido de tu vida.

Tu infancia estará vacía de todo, esto lo diviso con transparencia, incluso del deseo concreto de una muñeca, porque al nunca haberla visto no podrás ni siquiera soñarla, sino que desearás sólo vagamente una figura antropomorfa en la que transferir tus terrores infantiles. Tu madre, pobre ruda mujer, no sabe coser muñecos e ignora que los niños tienen necesidad de juguetes, dado que ellos tienen principalmente necesidad de comida.

Crecerás con la justa rabia que poseen los pobres cuando no están resignados; hablarás a aquellos a quienes los potentes consideran pienso y les enseñarás a no convertirse en lo que era tu madre. Encenderás en ellos la esperanza y ellos te seguirán, porque ¿cómo vivirían los pobres sin esperanza?

Conocerás las amenazas de los jueces, los golpes de los gendarmes, la vulgaridad de los carceleros, el desprecio de los siervos. Pero tú serás bella, furibunda, intrépida, inflamada por la indignación. Te llamarán la Pasionaria, para indicar el fuego que te arde en el corazón.

Después veo una guerra. Tú organizarás a tu gente, con vosotros estarán los humildes y aquellos que creen en la redención de los hombres, y ésta será la bandera de tu batalla. Combatirás incluso los ideales afines al tuyo porque los creerás menos perfectos. Y el verdadero enemigo, mientras tanto, te vencerá. Conocerás la fuga, el exilio, los escondites. Vivirás de silencio y de escaso pan; y largas carreteras, rectas, te indicarán al atardecer horizontes de tierras extrañas como aquéllas de las que estarás huyendo. Te albergarán heniles y establos, zanjas, compañeros desconocidos, la piedad de la gente.

Eras una mujer del Sur, oscura de ojos y de cabellos, acostumbrada a paisajes soleados y amarillos punteados del raro blanco de los molinos de Don Quijote. Te acogerán las llanuras del Este, donde en invierno el hielo mina la tierra y el corazón de los hombres. Tenías un habla sonora y latina, en la que las sílabas parecen chasquidos de dedos: una lengua hecha para guitarras, fiestas en los naranjos y desafíos en la arena donde hombres valerosos y estúpidos luchan contra la bestia. Te sonará bárbara la lengua de las estepas, pero tendrás que cambiarla por la tuya. Te darán una medalla y cada año, al entrar mayo te sentarás en una tribuna junto a hombres taciturnos, también ellos con medallas, para ver desfilar debajo de ti soldados vestidos para la ocasión, mientras el viento difundirá el rojo de las banderas y las notas estentóreas de himnos marciales interpretados por máquinas. Serás una superviviente con un apartamento, recompensa inmueble del heroísmo.

La guerra te visitará de nuevo. Hay personas a las

que la vida destina a ver escombros y muertes: tú eres una de ellas. El hijo que habrás tenido, el verdadero consuelo de tu existencia, te lo arrebatará la muerte en una ciudad que llegará a llamarse Stalingrado. Dios mío, con qué rapidez huyen los años por mis cartas y por tus lamentos: era un niño ayer mismo y hoy ya es un soldado muerto. Tú serás un héroe madre de héroe, y tu pecho tendrá otra medalla. Será una posguerra, en Moscú. Veo pasos afelpados en la nieve, un manto de candor inmaculado intenta inútilmente confundir mis cartas; percibo la fúnebre tristeza que impregna la ciudad: en las paradas de los coches todo el mundo mirará al suelo para evitar la mirada del vecino.

Tú también, por la noche, volverás recelosa a casa porque es tiempo de desconfianza. Por la noche te despertarás con un sobresalto, empapada en sudor, sospechando de tu misma fidelidad, porque la peor herejía es la de creerse ortodoxos, y muchos se perdieron a causa de la soberbia. Largos y capciosos serán tus exámenes de conciencia. Y mientras tanto, dónde habrán acabado los viejos compañeros. Todos desaparecidos, todos. Te darás la vuelta en la cama, las sábanas serán de espinas; afuera hace tanto frío, ¿es posible que la almohada sea un horno?

—¿Todos traidores?

—Todos

—¿Francisco también, que reía como un niño y cantaba el *romancero*?

—Francisco también.

—¿También El Campesino, que había llorado contigo tus muertos?

Por supuesto, también El Campesino, que ahora limpia los lavabos de Moscú. Y el breve sueño habrá acabado ya, sentada sobre la cama, los ojos atrancados en la penumbra (deberás dejar siempre una pequeña luz encendida, porque no soportarás la oscuridad) mirando fijamente la pared de enfrente. Pero, por otra parte, ¿qué hacer? Sudamérica está demasiado lejos y además no se deja salir a la Pasionaria de los confines amigos de Rusia.

En consecuencia, pensarás que es mejor aferrarse a tu ideal, hacer de él una fe más sólida, todavía más sólida. Y además, en el fondo, el tiempo estará pasando. Lentamente, muy lentamente: pero todo pasa. Pasan los hombres, los sufrimientos, los desastres. Incluso tú ya casi habrás pasado, y ello te dará un sutil y secreto consuelo. El moño frugal de tu pelo emblanquecerá de años y de dolores. Tu rostro será ascético, seco, con dos hoyos profundos. Después morirá también tu rey. Estarás en medio de la plaza, junto al ataúd: estarás siempre allí, día y noche, idéntica a ti misma, con los ojos siempre abiertos, silenciosa, inflexible, mientras una multidud inmensa desfila muda frente al cadáver embalsamado. Hierática, estatuaria, recortada en pedernal: ésa es la Pasionaria, pensará la gente al verte, y algún padre te mostrará a los niños. Y tú, mientras tanto, para no ceder el pánico y a la desazón que te han excavado galerías en el alma, con las manos en el regazo estarás enrollando el pañuelo y haciendo un nudo al extremo (qué curioso: ¿por qué tus manos alisan ese ovillo redondo?); y te vendrá a la mente una habitación que el tiempo se ha llevado consigo, una pobre cama de hierro y una minúscula Dolores asustada y enferma, con las pupilas invadidas por la fiebre que llama quejumbrosamente: «Mamaíta, el juguete... Mamaíta, por favor el juguete...» Y tu madre se levanta de la silla y te confecciona una muñeca aproximativa anudando los picos de su pañuelo marrón.

Después te esperarán muchos otros años, pero serán todos iguales. Dolores Ibárruri, te podrás mirar en el espejo, éste te restituirá la imagen de la Pasionaria, no habrá cambio alguno.

Más tarde, un día, tal vez, leerás mi carta. O no la leerás, pero ello no tendrá importancia, porque tú serás vieja y todo habrá sucedido ya. Porque si la vida pudiese volver a ser, distinta de la que ha sido, anularía el tiempo y la sucesión de las causas y de los efectos que son la vida misma y eso sería absurdo. Y mis cartas, Dolores, no pueden cambiar lo que, teniendo que suceder, ha sucedido ya.

III. Carta de Calipso, ninfa, a Ulises, rey de Itaca

Violetas y túrgidos como carnes secretas son los cálices de las flores de Ogigia; lluvias ligeras y breves, tibias, alimentan el verde lúcido de sus bosques; ningún invierno enturbia las aguas de sus riachuelos.

Ha transcurrido un abrir y cerrar de ojos desde tu partida que a ti te parece remota, y tu voz, que desde el mar me dice adiós, hiere todavía mi oído divino en este infranqueable ahora mío. Miro cada día al carro del sol que corre en el cielo y sigo su recorrido hacia tu accidente; miro mis manos inmutables y blancas; con una rama trazo un signo en la arena, como la medida de una cuenta vana, y después lo borro. Y los signos que he trazado y borrado son millares, idéntico es el gesto e idéntica la arena, y yo soy idéntica. Y todo.

Tú, por el contrario, vives en el cambio. Tus manos se han hecho huesudas, con los nudillos sobresalientes, las sólidas venas azules que las recorrían en el dorso se han ido pareciendo al cordaje nudoso de tu nave; y si un niño juega con ellas, las cuerdas azules escapan bajo la piel y el niño ríe y mide contra tu palma la pequeñez de su pequeña mano. Entonces tú lo bajas de tus rodillas y lo depositas en el suelo, porque te ha alcanzado un recuerdo de años lejanos y una sombra te ha pasado por el rostro: pero él grita regocijado a tu alrededor y tú enseguida lo vuelves a coger y lo sientas en la mesa frente a ti; algo profundo e inefable sucede y tú intuyes, en la transmisión de la carne, la sustancia del tiempo.

Pero ¿de qué sustancia es el tiempo? ¿Y dónde se forma, si todo está ya establecido, es inmutable, único? Por la noche contemplo los espacios entre las estrellas, veo el vacío sin medida, y lo que a vosotros los humanos arrastra y arrebata, aquí es un momento fijo carente de inicio y final.

¡Ah, Ulises, poder escapar de este verde perenne! ¡Poder acompañar las hojas que caen amarillentas y vivir con ellas el momento! Saberme mortal.

Envidio tu vejez, y la deseo: y ésta es la forma de amor que siento por ti. Y sueño otra yo misma, vieja y canosa, y caduca; y sueño con sentir las fuerzas que me disminuyen, con sentirme cada día más cerca al Gran Círculo en el cual todo vuelve a entrar y girar; con dispersar los átomos que forman este cuerpo de mujer que yo llamo Calipso. Y, sin embargo, continúo aquí, mirando el mar que se despliega y se retira, sintiéndome su imagen, sufriendo este cansancio de ser que me consume y que jamás se apagará, y el vacuo terror de lo eterno.

EL AMOR DE DON PEDRO

Un hombre, una mujer, la pasión y una insensata revancha son los personajes de esta historia. El cándido arenal del río Mondego, que atraviesa Coimbra, fue el escenario. El tiempo, que como concepto resulta esencial en este episodio, es de escasa importancia como medida cronológica; sin embargo, por rigor de cronista, diré que nos hallamos a mediados del siglo XIV.

Los precedentes participan de lo banal. Banales eran entonces los matrimonios dictados por conveniencias diplomáticas y por motivos de alianza. Banal era el joven príncipe Pedro, que esperaba en su palacio a su prometida, una aristócrata de la vecina España. Y banalmente, como exigían costumbres y normas, llegó la embajada nupcial: la futura esposa, sus guardias, sus damas de honor. Me atrevería a decir que también fue banal que el joven príncipe cayera enamorado de una doncella del séquito, la tierna Inés de Castro, que los cronistas y los poetas coetáneos, con los estilemas de la época, describen como de cuello sutil y de mejillas rosadas: banal porque, si era común para un soberano desposarse no con una mujer, sino con una razón de Estado, no lo era menos apagar sus deseos de hombre con una mujer hacia quien le empujaban motivos distintos de los de la conveniencia política.

Pero el joven don Pedro alimentaba el sentimiento de una imprescindible monogamia, y éste es el primer elemento no banal de la historia. Encendido de un amor único e indivisible por la tierna Inés, don Pedro contravino los sutiles cánones de lo subrepticio y las cautelas de la diplomacia. El matrimonio le había sido impuesto por motivos estrictamente dinásticos, y él lo solventó desde un punto de vista estrictamente dinástico: nacido el heredero que la voluntad del viejo padre exigía, se instaló con Inés en un castillo a la orilla del Mondego e hizo de ella, sin matrimonio, su verdadera esposa. Es el segundo elemento no banal de la historia. En este momento, en la figura de un impasible verdugo, entra en escena la fría violencia de la razón. El viejo rey era un hombre sabio y prudente y amaba en su hijo, más que al hijo, al rey que éste llegaría a ser. Reunió a los consejeros del reino y éstos le sugirieron un remedio que les pareció definitivo: borrar de la realidad el obstáculo al interés del Estado. Durante una ausencia del príncipe, doña Inés fue muerta por hierro, como refiere un cronista, en su residencia de Coimbra.

Pasaron los años. La reina legítima había muerto tiempo atrás. Y, un día, murió también el viejo padre, y don Pedro fue rey. Su venganza comienza en este momento. En principio fue una venganza cruel y nefanda, pero todavía dentro de la lógica de las acciones humanas. Con prodigiosa paciencia y minucia notarial hizo que sus agentes localizaran a los antiguos consejeros paternos. Algunos, ya viejos y alejados de sus cargos, vivían un retiro tranquilo; hasta otros fue difícil llegar: plausibles temores les habían llevado fuera de Portugal, donde prestaban sus servicios a otros monarcas. Don Pedro les esperó, uno a uno, en el patio de su palacio. El insomnio le perseguía. Había noches en que se levantaba y rompía el silencio insoportable de sus habitaciones, hacía encender todas las antorchas, llamaba a los trompeteros y les ordenaba que tocasen. El cronista de la época que anota los acontecimientos es pródigo en detalles: describe el patio austero y desnudo, el retumbar de los cascos de caballos sobre la piedra, el rechinar de los cerrojos, el grito de los guardias que anunciaban la captura de uno de los perseguidos. Describe incluso la paciente espera de don Pedro, inmóvil en una ventana desde la que dominaba el patio y el camino por el que irían llegando sus víctimas. Era un hombre alto y muy delgado, de rostro ascético y barba puntiaguda como un cirujano o un sacerdote, y llevaba siempre un idéntico manto sobre el idéntico jubón. El meticuloso cronista reproduce incluso los diálogos, o mejor, las súplicas que los prisioneros dirigían a su verdugo, y que nunca obtuvieron respuesta: el rey se limitaba a proporcionar detalles de carácter técnico sobre el modo que consideraba más idóneo para poner fin a la vida de sus víctimas. Don Pedro era un hombre no desprovisto de ironía: para un prisionero llamado Coelho, que en portugués significa «conejo», eligió por ejemplo la muerte en la parrilla. En cualquier caso, a todos hacía desgarrar el pecho, a algunos todavía en vida, y sacarles el corazón, que le era presentado en una bandeja de cobre. El tomaba el órgano todavía caliente y lo arrojaba a su jauría de perros, que aguardaban ávidos bajo la terraza.

Pero su sanguinaria venganza, que hace horrorizar al buen cronista, fue para don Pedro un consuelo de escasa eficacia. Su resentimiento de hombre arrollado por acontecimientos irremediables no se conformó con el músculo cardíaco de algunos cortesanos: en la soledad de piedra de su palacio meditó una revancha más sutil, que no concierne al plano de la praxis ni de lo humano, sino al del tiempo y a la concatenación de eventos que es la vida... y que en aquel caso ya habían ocurrido. Quiso corregir lo definitivo.

Era un cálido verano de Coimbra, y a lo largo de la orilla del río crecían la lavanda y la retama. Las lavanderas sacudían su ropa en el arroyuelo perezoso que corría como una serpiente entre los guijarros; y cantaban. Don Pedro comprendió que todo —sus súbditos, aquel río, las flores, los cantos, su mismo ser rey que contemplaba su reino— habría sido idéntico aunque todo hubiese sido distinto y nada hubiera sucedido; y que la formidable plausibilidad de la existencia, inexorable como es inexorable lo que es real, era más sólida que su fiereza, era inexpugnable a su venganza. ¿Qué pensó exactamente mientras contemplaba desde su ventana las amarillas llanuras de Portugal? ¿Qué clase de pena le asedió? La nostalgia de lo que fue puede ser destructiva; pero la de lo que hubiéramos querido que fuera, de lo que habría podido ser y no fue, debe de ser intolerable. Probablemente don Pedro fue arrastrado por esta nostalgia. En su incurable insomnio, cada noche, él miraba las estrellas: y quizá las distancias siderales, los espacios inconmensurables para el tiempo humano, le dieron la inspiración. Quizá a tal inspiración contribuyó también la ironía sutil que con la nostalgia de lo que no había sido se cobijaba en su pecho. Concibió un plan genial.

Don Pedro, como se ha visto, era hombre de avaras palabras y de firme carácter: al día siguiente un bando austero anunciaba en todo el reino una gran fiesta popular, la coronación de una reina, un solemne viaje de novios, entre dos hileras de multitud exultante, desde Coimbra hasta Alcobaça. Doña Inés fue exhumada de su tumba. El cronista no revela si era ya un esqueleto desnudo o todavía en descomposición. Fue vestida de blanco, coronada y colocada en la carroza real descubierta, a la derecha del rey. Los conducía una pareja de caballos blancos con grandes penachos coloreados. Cascabeles de plata en los hocicos de las bestias difundían a cada paso un sonido agudo. La multitud, como se había ordenado, se dispuso en hilera a ambos lados del cortejo nupcial, y conjugaba reverencias de súbditos y repugnancia. Soy propenso a creer que don Pedro, indiferente a las apariencias, de las que lo defendían, por otra parte, los resortes de una poderosa imaginación, estuvo seguro de viajar no con el cadáver de su antigua amada, sino con ella de verdad, antes de que muriera. Se podría sostener que él estaba sustancialmente loco, pero sería una evidente simplificación.

Desde Coimbra hasta Alcobaça hay ochenta kilómetros. Don Pedro volvió solo, de incógnito, de su imaginaria luna de miel; a la espera de doña Inés, en la abadía de Alcobaça, había una estancia en piedra que el rey había hecho esculpir a un artista famoso. Frente al sarcófago de Inés, cuya tapa la reproducía en su belleza juvenil, los pies contra los pies, de modo que el día del juicio sus ocupantes se encontraran cara a cara, había un sarcófago análogo, con la imagen del rey.

Don Pedro tuvo que esperar todavía muchos años antes de ocupar su puesto en el sarcófago que le estaba reservado. Empleó ese tiempo en desempeñar su oficio de rey, acuñó monedas de oro y plata, apaciguó su reino, eligió una mujer que alegrara sus habitaciones, fue un padre ejemplar, un compañero discreto y cortés, un límpido administrador de justicia. Conoció incluso la alegría, y dio fiestas. Pero éstos me parecen detalles soslayables. Esos años, probablemente, tuvieron para él una medida distinta de la del resto de los hombres. Fueron todos iguales, y quizá todos instantáneos, como si ya hubieran transcurrido.

MENSAJE DESDE LA PENUMBRA

La noche, en estas latitudes, cae de improviso, con un crepúsculo efímero que dura un soplo, y después, la oscuridad. Yo debo vivir únicamente en este breve período, y por lo demás no existo. O mejor, estoy, pero es como si no estuviese, porque estoy en cualquier sitio, incluso allí, donde te he dejado, y además en todas partes, en todos los lugares de la tierra, en los mares, en el viento que hincha las velas de los veleros, en los viajeros que atraviesan las llanuras, en las plazas de las ciudades, con sus mercaderes y sus voces y el flujo anónimo del gentío. Es difícil decir cómo está hecha mi penumbra y qué significa. Es como un sueño que sabes que estás soñando, y en eso consiste su verdad: en ser real fuera de lo real. Su morfología es la del iris, o mejor, la de las gradaciones lábiles que dejan de ser mientras están siendo, como el tiempo de nuestra vida. Me es posible recorrerlo, este tiempo que ya no es mío y que ha sido nuestro, y que corre ligero en el interior de mis ojos, tan rápido que yo entreveo paisajes y lugares que hemos habitado, momentos que hemos compartido e incluso nuestras conversaciones de entonces, ¿recuerdas?, hablábamos de los parques de Madrid y de una casa de pescadores donde hubiéramos querido vivir y de los molinos de viento, y de los acantilados en el mar en una noche de invierno, cuando comimos gachas, y de la capilla con los exvotos de los pescadores, vírgenes de rostro popular y náufragos como marionetas que se salvan del oleaje agarrándose a un rayo de luz llovida del cielo. Mas todo esto que me pasa por dentro de los ojos, pero que descifro con exactitud minuciosa, es tan rápido en su irrefrenable carrera que es sólo un color: es el malva de la mañana sobre la meseta, es el azafrán de los campos, es el añil de una noche de septiembre con la luna colgada del árbol en la explanada delante de la vieja casa, el olor fuerte de la tierra y tu seno izquierdo, que yo amaba con mayor intensidad; y la vida estaba allí, aplacada y escandida por el grillo que vivía al lado, y aquélla era la mejor noche de todas las noches, porque era una noche líquida, como la pulpa de un albaricoque.

En el tiempo de este infinito mínimo, que es el intervalo entre mi ahora y nuestro entonces, te digo adiós y silbo *Yesterday* y *Guaglione*. He dejado mi jersey en la butaca de al lado, como cuando íbamos al cine y esperaba que tú volvieras con los cacahuetes.

LA FRASE SIGUIENTE ES FALSA.
LA FRASE ANTERIOR ES VERDADERA

Madrás, 12 de enero de 1985

Estimado señor Tabucchi:

Han pasado tres años desde el día en que nos encontramos en la Theosophical Society de Madrás. Admito que el lugar no era el más propicio para un encuentro. Apenas tuvimos tiempo de intercambiar una breve conversación, usted me reveló que estaba buscando a una persona y que estaba escribiendo un pequeño diario hindú. Me pareció muy interesado en la onomástica, recuerdo que le gustó mi nombre y me pidió permiso para poder utilizarlo, aunque camuflado, en el libro que estaba escribiendo. Supongo que más que mi persona, le interesaron dos cosas: mis lejanos orígenes portugueses y el hecho de que yo conociese la obra de Fernando Pessoa. Quizá nuestra conversación fue algo extravagante: en realidad, partió de dos adverbios muy usados en Occidente (*practically* y *actually*) y después intentamos remontarnos hasta las categorías mentales que presiden adverbios como éstos. Lo que nos condujo, con cierta lógica, a hablar del pragmatismo y de la trascendencia, y desvió nuestra conversación hacia el plano, quizá inevitable, de las respectivas creencias religiosas. Recuerdo que usted se profesó, me parece que con un cierto embarazo, agnóstico, y a una pregunta mía sobre la hipótesis de una eventual reencarnación suya, usted respondió que, en el caso de que tuviera lugar, sería, con seguridad, en un pollo cojo (*a lame chicken*). Inicialmente pensé que era usted irlandés, quizá porque los irlandeses, más que los ingleses, tienen una manera propia y especial de afrontar el tema religioso. Tengo que decir con toda honestidad que usted despertó mis recelos. Habitualmente, los europeos que llegan de la India se dividen en dos categorías: los que creen haber descubierto la trascendencia y los que profesan el escepticismo más radical. Tuve la impresión de que usted ironizaba sobre ambas actitudes, y ello, en el fondo, no me gustó. Nos despedimos con cierta frialdad. Cuando le dejé estaba seguro de que su libro, si lo llegaba a escribir, sería uno de esos insoportables informes occidentales que mezclan folclore y miseria en una India incomprensible.

Admito que me equivocaba. La lectura de su *Indian Nocturne* me ha sugerido algunas consideraciones que me incitan a escribirle esta carta. Por lo pronto, deseo decirle que si el teósofo del capítulo sexto recoge en parte mi propia persona, es un retrato ingenioso y casi divertido, aunque esté marcado por una severidad que no creo merecer, pero que encuentro plausible en su manera de verme. Pero no son éstas, claro está, las consideraciones que me empujan a escribirle. Quisiera, por el contrario, empezar con una máxima hinduista que traducida a su idioma suena más o menos de esta manera: el hombre que cree conocer su (¿o propia?) vida conoce en realidad su (¿o propia?) muerte.

No tengo duda alguna acerca de que *Indian Nocturne* habla de la apariencia, es decir, de la muerte. Todo él es un libro sobre la muerte. Lo son las partes en las que habla de la fotografía y de las imágenes, de la imposibilidad de encontrar lo que se ha perdido: el tiempo, las personas, la propia imagen, la Historia (tal como la entiende la cultura occidental, por lo menos a partir de Hegel, uno de los filósofos más necios, creo, que su cultura ha conocido). Pero estas partes son a la vez una iniciación, de la cual algunos capítulos constituyen una etapa secreta y misteriosa. Toda iniciación es misteriosa, no es necesario invocar la filosofía hinduista porque también las religiones occidentales creen en este misterio (el Evangelio). La fe es misteriosa, y ésta, a su modo, es una forma de iniciación. Pero creo que también los más conscientes creadores de Occidente advierten este misterio. Y a este propósito, consiéntame citarle una afirmación del compositor Emmanuel Nunes, a quien he tenido la fortuna de escuchar recientemente en Europa: «Sur cette route infinie, qui les unit, furent bâties deux cités: la Musique et le Poésie. La première est née, en partie, de cet élan voyageur qui attire le Son vers le Verbe, de ce désir vital de sortir de soi-même, de la fascination de l'Autre, de l'aventure qui consiste à vouloir prendre possession d'un sens qui n'est pas le sien. Le seconde jaillit de cette montée ou descente du Verbe vers sa propre origine, de ce besoin non moins vital de revisiter le lieu d'effroi où l'on passe du non-être à l'être.»

Pero vayamos a la conclusión de su libro, al último capítulo. Durante mi último viaje a Europa, después de haber adquirido su libro, he buscado algunos periódicos por la simple curiosidad de ver qué había pensado la crítica de su conclusión. Naturalmente, no he podido obtener una información exhaustiva, pero los pocos artículos que he podido leer han confirmado mi convicción. Era evidente que la crítica occidental no podía interpretar su libro más que de una manera occidental. Y eso significa la cultura del «doble», Otto Rank, *The Secret Sharer* de Conrad, el psicoanálisis, el «juego» literario y otras categorías culturales que le son propias (¿o suyas?). No podía ser de otra manera. Pero yo sospecho que usted quería decir otras cosas, y sospecho también que aquella noche en Madrás, cuando me confesó que no conocía en absoluto el pensamiento hinduista, usted, por alguna razón que ignoro, estaba mintiendo (decir mentiras). Creo, en efecto, que usted conoce el pensamiento gnóstico oriental y también a los pensadores occidentales que han emprendido el camino de la gnosis. Usted conoce el Mandala, estoy seguro de ello, y sencillamente lo ha transferido a su cultura. El símbolo de la totalidad, en la India, ha sido ilustrado preferentemente con el Mandala (étimo latino *mundus*, en sánscrito «globo», «anillo») y también con el cero y con el espejo. El cero, descubierto por ustedes en el siglo IV, sirvió en la India como símbolo del Brâhman y del Nirvânam, como matriz del todo y de la nada, luz y tiniebla; así como de equivalente al «como si» de la dualidad en el Upanishad. Pero tomemos un símbolo más comprensible para ustedes: el espejo. Cojamos, pues, un espejo en la mano y miremos. Este nos refleja idénticos invirtiendo las partes. Lo que estaba a la derecha se traspone a la izquierda y viceversa, de modo que quien nos mira somos nosotros, pero no los mismos nosotros que otro mira. Restituyéndonos nuestra imagen invertida en el eje delante-detrás, el espejo produce un efecto que puede también encubrir un sortilegio: nos mira desde fuera, pero es como si nos escrutase dentro, nuestra visión no nos es indiferente, nos intriga y nos turba como la de ningún otro: los filósofos taoístas la llamaron *la mirada restituida*.

Consiéntame un salto lógico que quizá usted entenderá. Estamos en la gnosis del Upanishad y en los diálogos de Misargatta Maharaj con sus discípulos. Conocer el Yo significa descubrir en nosotros lo que es ya nuestro, y descubrir además que no existe diferencia real entre el ser en mí y la totalidad universal. La gnosis budista da un paso ulterior, un no-retorno: anula incluso el Yo. Detrás de la última máscara, el Yo se muestra ausente.

Estoy llegando a la conclusión de esta carta mía, demasiado larga, me doy cuenta, y probablemente de una impertinencia que nuestras relaciones no justifican. Perdone una última intrusión en su intimidad, en parte justificada por la confidencia que me hizo aquella noche en Madrás sobre su probable reencarnación, y que no tengo la osadía de considerar una simple *boutade*. También la mente hinduista, aunque piense que la vía del Karma está ya escrita, mantiene la secreta esperanza de que la armonía del corazón y de la mente abran caminos distintos de los ya marcados. Le deseo sinceramente que su encarnación no sea la que usted preveía. Yo al menos lo espero.

Sinceramente suyo,

XAVIER JANATA MONROY

Vecchiano, 18 de abril de 1985

Estimado señor Janata Monroy:

Su carta me ha afectado profundamente. Exige una respuesta, y me temo que será muy inferior a lo que su carta postula. Ante todo, déjeme que le agradezca el que me haya permitido usar una parte de su nombre para un personaje de mi libro, y que además no se haya molestado por el novelesco personaje del teósofo de Madrás para el que su figura ha sido fuente de inspiración. Los escritores son en general personas poco de fiar, incluso cuando sostengan practicar el más riguroso realismo: por lo que a mí respecta, merezco en este sentido la máxima desconfianza.

Usted confiere a mi pequeño libro, y, por lo tanto, a la visión del mundo que de él se desprende, una profundidad religiosa y una complejidad filosófica que no creo, por desgracia, poseer. Pero, como dice el poeta que ambos conocemos, «todo vale la pena si el alma no es angosta». Y, por lo tanto, también mi libro vale la pena, no tanto en sí mismo, como por lo que un alma vasta es capaz de leer en él.

Pero los libros, como usted sabe, son casi siempre

más grandes que nosotros. Para hablar de quien ha escrito aquel libro debo, a mi pesar, caer en lo anecdótico (no oso decir biográfico), que en mi caso es banal y de bajo rango. La noche en que nos conocimos en la Theosophical Society, yo salía de una extraña aventura. Eran muchas las cosas que me habían sucedido en Madrás: había tenido la suerte de conocer a algunas personas y de meditar acerca de algunas extrañas historias. Pero cuanto había sucedido me afectaba a mí solo. Gracias a la complicidad de un guardián había conseguido penetrar en el recinto del Templo de Shiva Horrífico, que como usted sabe está rigurosamente prohibido a los no hinduistas, con el preciso intento de fotografiar los altares. Puesto que usted ha comprendido el sentido que yo atribuyo a la fotografía, entenderá que se trataba de una doble profanación. Quizá también de un desafío, porque Shiva Horrífico se identifica con la Muerte y con el Tiempo, es el *Bhoirava*, el Terror, y se manifiesta en sesenta y cuatro variedades que el templo de Madrás ilustra y que yo deseaba fotografiar personalmente. Eran las dos de la tarde, en el momento en que el templo cerró los batientes para la pausa de reposo, y por lo tanto todo el territorio estaba desierto, a excepción de algunos leprosos que allí dormían y que no me prestaron la mínima atención. Sé que suscito en usted un sentimiento de profunda desaprobación, pero no quiero mentir. Hacía un calor agobiante, el gran monzón acababa de pasar y el recinto estaba lleno de pozos de agua estancada. Nubes de moscas y de insectos vagaban por el aire y el hedor de los excrementos de las vacas era insoportable. Frente a los altares de Shiva como traidor, tras las cisternas de las abluciones, hay un pequeño muro para las ofrendas votivas. Me subí a él y comencé a sacar mis fotografías. En aquel momento un trozo del muro sobre el que estaba, viejo y empapado por las lluvias, se derrumbó. Naturalmente le estoy dando una explicación «pragmática» de lo sucedido, porque la cosa, considerada desde otro punto de vista, podría tener otra explicación. En cualquier caso, en el derrumbamiento yo caí y me hice algunas heridas en la pierna derecha, que en pocas horas, cuando volví al hotel, me habían producido una inflamación increíble. Sólo al día siguiente decidí ir a un médico, sobre todo porque antes de ir a la India no me había puesto vacuna alguna y temía una infección tetánica que mi pierna parecía francamente prometer. Con gran estupor por mi parte el médico se negó a ponerme la antitetánica, pues la consideraba superflua, porque, según dijo, el tétanos en la India tiene un desarrollo mucho más rápido que en Europa, y «si se hubiese tratado de tétanos a esta hora ya estaría muerto». Se trataba solamente de «una simple infección», dijo, y era suficiente la estreptomicina. Se mostró bastante sorprendido de que no se hubiera producido una infección tetánica, pero evidentemente, concluyó, a veces se encuentran europeos resistentes.

Estoy seguro de que usted encontrará ridícula mi historia, pero es lo que tengo que contarle. Por lo que se refiere a su interpretación gnóstica de mi *Nocturno*, o más bien, de su conclusión, le repito con toda sinceridad que yo no conozco el Mandala, mis conocimientos acerca del hinduismo son vagos y bastante aproximativos, consisten en el resumen de una guía turística y en un librito de bolsillo comprado en el aeropuerto (*L'Induisme*, collection «Que sais-je?»). Por lo que concierne al problema del espejo me he documentado a toda prisa sólo después de haber recibido su carta. He pedido ayuda a los libros de una docta estudiosa, la profesora Grazia Marchianò, y estoy aprendiendo con fatiga los primeros rudimentos de una filosofía de la cual me siento desastrosamente ignorante.

Y, por último, debo decirle que en mi opinión, el sentido más inmediato del *Nocturno* refleja un estado de espíritu mucho menos profundo de cuanto usted haya podido generosamente suponer. Por motivos privados de cuyo enojoso conocimiento le dispenso, pero seguramente también porque me encontraba en un continente tan lejano de mi mundo, experimenté entonces un sentimiento de extrañeza muy fuerte hacia todo; hasta tal punto que no sabía ya por qué estaba allí, cuál era el sentido de mi viaje, y qué sentido tenía lo que estaba haciendo y lo que yo mismo era. De ahí, tal vez, mi libro. En conclusión, un equívoco. El equívoco evidentemente me es consustancial. Como confirmación de cuanto le digo, me permito enviarle mi último libro, publicado hace pocos días. Usted conoce muy bien el italiano y quizá tenga ganas de echarle una ojeada.

Sinceramente suyo,

ANTONIO TABUCCHI

Estimado señor Tabucchi:

Gracias por su carta y su regalo. Acabo de terminar los *Pequeños equívocos sin importancia* y el otro libro de relatos, el *Revés*, que ha tenido la gentileza de enviarme junto al otro. Ha hecho bien, porque ambos libros se complementan y mi lectura ha sido más reconfortante.

Me doy cuenta perfectamente de que mi carta le ha causado un cierto embarazo; del mismo modo me doy cuenta que usted, sus razones tendrá, desea sustraerse a las interpretaciones gnósticas que he formulado de sus libros y que usted quiere negar. Como le decía en mi primera carta, los europeos que visitan la India se dividen habitualmente en dos categorías: los que creen haber descubierto la trascendencia y los que profesan el escepticismo más radical. Me temo que a pesar de su búsqueda de una tercera vía, usted encaja en estas categorías.

Perdóneme la insistencia. Incluso la posición filosófica (¿puedo definirla de esa manera?) que usted denomina «Equívoco», aunque revestida de cultura occidental (el Barroco), corresponde al antiguo precepto hindú de que el equívoco (el error de la vida) equivale a un viaje iniciático en torno de la ilusión de lo real, es decir, en torno de la vida humana terrena. Todo es idéntico, decimos nosotros, y me parece que usted afirma lo mismo, aunque la suya es una posición de escepticismo (por cierto, ¿se le considera a usted un pesimista?). Pero quisiera abandonar mi cultura y utilizar por

51

un momento la suya. Tal vez recordará la paradoja de Epiménides que dice más o menos así: *La frase siguiente es falsa. La frase anterior es verdadera.* Como habrá observado, las dos mitades de la sentencia son la una espejo de la otra. Exhumando esta paradoja, un matemático estadounidense, Richard Hoffstadter, autor de un tratado sobre el teorema de Gödel, ha puesto recientemente en crisis la dicotomía lógica (aristotélico-cartesiana) sobre la que se basa su cultura y según la cual toda afirmación debe ser o verdadera o falsa, y ello porque se refiere a sí misma en negativo: es una serpiente que se muerde la cola o, según la definición de Hoffstadter, un «anillo extraño» *(a strange loop).*

También la vida es un anillo extraño. Nos encontramos de nuevo en el hinduismo. ¿Está de acuerdo por lo menos en esto, señor Tabucchi?

Sinceramente suyo,

XAVIER JANATA MONROY

Vecchiano, 10 de julio de 1985

Estimado señor Janata Monroy:

Como de costumbre, su carta me ha obligado a una precipitada y, por desgracia, superficial culturización. Del matemático estadounidense del que me habla he encontrado noticias sólo en una revista italiana, en un reportaje desde los Estados Unidos del periodista Sandro Stille. El reportaje era muy interesante y me comprometo a documentarme de un modo más profundo. Sin embargo, no entiendo de lógica matemática: quizá no entiendo clase alguna de lógica, es más, creo que soy la persona más ilógica que conozco y, por lo tanto, no creo que progrese mucho en estudios de este tipo. Tal vez, como usted dice, la vida es verdaderamente «un anillo extraño». Me parece justo que cada uno entienda esta expresión según la acepción cultural que prefiera.

Pero deje que le diga algo. No crea demasiado en lo que afirman los escritores, ellos mienten (decir mentiras) casi siempre. Ha dicho un escritor de lengua española, que quizá usted conoce, Mario Vargas Llosa, que escribir un cuento es una ceremonia parecida al *striptease*. Como la muchacha que bajo un impúdico reflector se quita sus vestidos y muestra sus gracias secretas, también el escritor desnuda en público su intimidad a través de sus relatos. Hay, evidentemente, diferencias. Lo que el escritor exhibe de sí mismo no son sus gracias secretas, como la desenvuelta muchacha, sino los fantasmas que le asedian, lo peor de sí mismo: sus nostalgias, sus culpas y sus rencores. Otra diferencia es que mientras en su espectáculo la muchacha empieza vestida y acaba desnuda, en el caso del relato la trayectoria es la inversa: el escritor empieza desnudo y termina por volver a vestirse. Quizá nosotros los escritores tenemos simplemente *miedo*. Considérenos, si quiere, cobardes, y déjenos con nuestras culpas privadas y nuestros fantasmas privados. El resto son nubes.

Suyo,

ANTONIO TABUCCHI

LA BATALLA DE SAN ROMANO

Hubiera querido hablarte del cielo de Castilla. El azul celeste y las nubes hinchadas y rápidas empujadas por el viento de la meseta y el monasterio de Santa María de Huerta, en la carretera de Madrid, donde llegué una tarde de final de primavera y allí estaba Orson Welles rodando *Campanadas a medianoche* y me pareció la cosa más natural del mundo encontrar a aquel hombre barbudo con el puro en la boca, vestido con jubón, sentado en una silla del claustro cisterciense. Decirte: mira, yo era así, hace tantos años, me gustaba España, *Colinas como elefantes blancos*, era como apartar la cortina de cuentas de un hostal un poco sucio y entrar en un libro de Hemingway, aquélla era la puerta de la vida, sabía a literatura como una página de *Fiesta.* Era un día de fiesta, yo todavía no era yo, podía tener la ligereza inocente de quien aguarda a los acontecimientos; atreverse a cualquier cosa, escribir aquellos cuentos tipo *Cena con Federico* donde se describía el limbo de la adolescencia, mediodías perezosos, cigarras: naderías entonces, pero que ahora requerirían coraje.

Oía al poeta leyendo sus poesías, decía «mi Cruz

del Sur, mi víspera», y estaba lleno de ternura por una mujer de poesía, que luego era sustancialmente él mismo, yo sentía que él amaba de verdad a esa mujer, porque precisamente la amaba del modo más auténtico, porque se amaba a sí mismo en ella, y éste es el verdadero secreto y, a su manera, una inocencia, y me he dicho: demasiado tarde.

Era hermoso el hotel, con espejos ennegrecidos y marcos con volutas, columnas neoclásicas de madera, un público discreto y escogido de veladas tardías y hoteles de lujo, y yo escuchando, con el corazón palpitante, lleno de remordimiento y de vergüenza.

¿Por qué tenía él ese coraje y yo no?, pensaba, ¿en qué consiste esta virtud?, ¿la poesía, la inconsciencia, la conciencia o qué? Y después he visto este paciente vehículo que nos transporta desde hace miles de años: en una bandeja de fruta posada sobre un aparador había una naranja, el maestro nos decía: mirad, niños, esto es el mundo, está hecho así, como una naranja; ha sido una imagen surgida de improviso de la memoria, y sobre esa naranja he buscado las largas carreteras de Castilla, y un pequeño automóvil que corría creyendo entrar en la vida a través de la cortina de cuentas de una página de Hemingway, y, en cambio, he visto sólo una piel de naranja, todo había desaparecido de la superficie del fruto, el poeta leía con una voz hermosa y gentil su bella poesía, me estaba conmoviendo, pero no era por lo que decía (o mejor, también por aquello), sino por mí, porque era incapaz de localizar sobre la naranja la carretera de aquella tarde en que encontré a Orson Welles y de la que hubiera querido hablarte. Y así, he subido a la habitación para mirar las ampliaciones que me había traído del laboratorio, había descompuesto el cuadro pedazo a pedazo dividiéndolo en una tupida retícula, y había fotografiado cada cuadrado de la retícula; será un trabajo largo y minucioso, hecho de paciencia, de tardes interminables con la lente y la lámpara; la corteza del marco dilatado por la ampliación es una epidermis llena de arrugas y cicatrices, casi repele; se ve que fue un organismo vivo y ahora está aquí como un cuerpo ya cadáver y yo lo anatomizo para darle un sentido que ha perdido con el paso del tiempo y que acaso no era el suyo, como intento dárselo a aquella tarde en la carretera de Madrid, y sé que le estoy dando uno distinto, porque su verdadero sentido lo tenía sólo en aquel momento, cuando yo no sabía qué sentido tenía, y ahora que era un sentido hecho de juventud y España oleográfica y novela de Hemingway, resulta una lectura de lo que soy ahora: es, a su modo, una falsificación.

Este cuento, cuyo yo-narrante naturalmente ha de considerarse un personaje de ficción, debe mucho a las observaciones de dos estudiosos de arte sobre dos tablas del tríptico de Paolo Uccello, La batalla de San Romano, *que se encuentran, respectivamente, en la National Gallery y en el Louvre. De la primera, que representa a Niccolò da Tolentino a la cabeza de los florentinos, P. Francastel* (Peinture et société, *Lyon, 1951) señaló, al analizar la* perspectiva espacial, que Paolo Uccello emplea simultáneamente distintas perspectivas, entre ellas una perspectiva en fuga en primer plano y una perspectiva «compartimentada» al fondo. La tabla del Louvre, que representa la intervención de Micheletto da Cotignola llamó la atención, por sus problemas de perspectiva, de A. Parronchi (Studi sulla dolce prospettiva, *Milán, 1964). El estudioso examina el uso pictórico de las láminas de plata de las corazas, pues supone que a ellas se deben efectos de reflexión y multiplicación de las imágenes. La tabla del Louvre, sustancialmente, contendría la demostración de un juego de perspectivas ya anunciado en la* Perspectiva *de Vitelione; juego según el cual «es posible situar de tal modo el espejo que quien se contempla vea en el aire, fuera del espejo, la imagen de algo que está fuera de su campo visual». El cuadro de Paolo Uccello, de este modo, ofrecería la representación no de seres reales, sino de fantasmas.*

Sólo me queda añadir que el autor de esta carta se dirige a un personaje femenino.

HISTORIA DE UNA HISTORIA QUE NO EXISTE

Tengo una novela ausente que tiene una historia que deseo contar. La novela se llamaba *Cartas al capitán Nemo*, título cambiado posteriormente por *Nadie detrás de la puerta*. Nació en la primavera de 1977, me parece, durante quince días de vida campestre y de arrobamiento en un pueblecito cerca de Siena. No sé bien qué fue lo que me la dictó: en parte ciertos recuerdos, que en mí se mezclan casi siempre con la fantasía y que, por lo tanto, son poco fiables; en parte la urgencia de la propia ficción, que tiene siempre un peso no desdeñable; en parte, la soledad, que a menudo es compañera de la escritura. Sin reflexionar mucho, de la historia hice una novela (un cuento largo) y la envié a un editor que la encontró demasiado alusiva, un tanto esquiva y, desde su perspectiva de editor, no muy accesible y descifrable. Creo que tenía razón. Con toda franqueza no sé cuál era, literalmente hablando, su valor. La guardé en un cajón para dejarle reposar un poco, porque la oscuridad y el olvido les sientan bien a las historias, creo. Quizá la olvidé verdaderamente. Volvió a mis manos algunos años después y su hallazgo me produjo una extraña impresión. Surgió de pronto en la oscuridad de una cómoda, bajo una masa de papeles, como un submarino que emergiera de oscuras profundidades. Leí en ello una evidente metáfora, casi un mensaje (la novela hablaba también de un submarino); y, como si fuera una justificación, o una expiación (es curioso cómo las novelas pueden provocar complejos de culpabilidad), sentí la necesidad de añadir una nota conclusiva, la única cosa que queda de todo aquello, con el título que todavía hoy conserva: *Más allá del fin.* Me parece que era el invierno de 1979. Añadí algún retoque a la novela y luego se la confié a un editor que me parecía más idóneo, por sus características, para publicar un libro de no fácil lectura. Mi elección se reveló justa, el acuerdo se alcanzó rápidamente y prometí la entrega para el otoño siguiente. Sólo que, durante las vacaciones estivales, me llevé el manuscrito en la maleta. Había permanecido solo tanto tiempo, tenía necesidad de compañía, lo sentía. Lo releí a finales de agosto. Me encontraba en una vieja casa a la orilla del Atlántico, habitada por el viento y los fantasmas. No se trataba de mis fantasmas, sino de fantasmas de verdad: penosas presencias que para percibir era suficiente un mínimo de atención o de disponibilidad. Por otro lado yo tenía una atención particularmente agudizada, en aquel momento, porque conocía bien la historia de aquella casa, y también a las personas que la habían habitado: y éstas, por las inexplicables coincidencias de la vida, habían entrado, de algún modo, a formar parte de la mía. Entretanto, ya había llegado septiembre, con marejadas furiosas que anunciaban el equinoccio; en la casa a veces faltaba la corriente, los árboles del parque tenían brazos inquietos, durante la noche los pasillos estaban llenos de gemidos de la vieja madera; venían escasos amigos a cenar, los faros de sus automóviles dibujaban haces blancos en la oscuridad, delante de la casa había un acantilado con una caída estremecedora, allá al fondo se arremolinaban las olas; yo estaba solo, esto lo sabía con certeza, y en la soledad de la existencia, las inquietas presencias de los fantasmas buscan contactos. Pero no son posibles verdaderos diálogos, hay que resignarse a lenguajes extravagantes, intraducibles, confiados a estratagemas inventadas en el momento. Nada encontré mejor que confiar en el lenguaje de una luz. Había un faro en la otra parte del golfo. Emitía dos luces y tenía cuatro intermitencias. Con las combinaciones de estas variables inventé un lenguaje mental muy aproximativo, pero suficiente para una conversación básica. Algunas noches ocurría que tenía insomnio. La vieja casa tenía una gran terraza y me pasaba la noche hablando con el faro, es decir, sirviéndome del mismo para transmitir mis mensajes o para recibirlos, según el momento —todo ello establecido por mí, naturalmente—. Pero algunas cosas son más fáciles de lo que creemos; por ejemplo, es suficiente pensar: esta noche transmito; o bien: esta noche recibo. Y el asunto está arreglado.

En aquellas noches recibí muchas historias. Transmití poco, lo confieso, la mayor parte del tiempo la pasé escuchando. Aquellas presencias tenían el deseo de hablar, y yo estuve escuchando sus historias, intentando descifrar comunicaciones a menudo alteradas, oscuras e inconexas. Eran historias infelices, en su mayoría, esto lo percibí con claridad. Así, entre aquellos diálogos silenciosos llegó el equinoccio de otoño. Aquel día sobre el mar se abatió una borrasca, lo sentí mugir desde el alba; por la tarde, una fuerza enorme sacudía sus vísceras. Por la noche, gruesas nubes descendieron por el horizonte y la comunicación con mis interlocutores fue interrumpida. Hacia las dos de la madrugada, después de esperar inútilmente la luz del faro, fui hasta el acantilado. El océano gritaba de un modo insoportable, como si estuviera lleno de voces y lamentos. Llevé conmigo la novela y la entregué al viento, página a página. No sé si fue un tributo, una ofrenda, un sacrificio o una penitencia.

Desde aquel día han pasado varios años y ahora aquella historia escrita hace mucho tiempo surge de nuevo desde la oscuridad de otras cómodas, desde otras profundidades. La veo en blanco y negro, como acostumbro soñar; o bien con colores difuminados y muy tenues; y todo con una ligera niebla, un velo sutil que la suaviza y la pule. La pantalla en que se proyecta es el cielo nocturno de un litoral atlántico, frente a una vieja casa que se llamaba São José da Guia. A aquellos antiguos muros, que ya no existen como yo los conocí; y a todas las personas que antes que yo la conocieron y habitaron, esta novela que no existe, obligatoriamente, está dedicada.

LA TRADUCCION

Es una espléndida jornada, puedes estar seguro, o mejor, yo diría que es verano, es imposible no reconocer el verano, déjame que te lo explique, yo entiendo de esto. ¿Quieres saber cómo lo deduzco? Oh, bueno, es facilísimo, ¿cómo te diría?, basta con mirar ese amarillo. ¿Que qué quiero decir? Pues mira, escúchame bien, ¿tienes presente el amarillo? Sí, el amarillo, y cuando digo el amarillo quiero decir precisamente el amarillo, que no es el rojo ni el blanco, sino precisamente el amarillo, exactamente amarillo. El amarillo, ese de la derecha, esa mancha en forma de estrella de amarillo que se extiende por el campo como si fuera una hoja, un resplandor, en suma, algo de este tipo, de la hierba secada por la canícula, no sé si me explico.

Esa casa parece verdaderamente que está sobre el amarillo, que está sostenida por el amarillo. Es extraño que se vea poco de ella, sólo un trozo, me gustaría saber más, quién sabe quién vive ahí, quizá la señora que está cruzando el puentecito. Sería interesante saber adónde va, puede que esté siguiendo la carroza, quizá la carreta que se ve cerca de los dos álamos del fondo, en la parte izquierda. Podría ser viuda, dado que va vestida de negro. Y además tiene un paraguas negro. En cualquier caso, éste le sirve para protegerse del sol, porque te repito que es verano, no hay duda. Pero ahora quisiera hablarte de ese puente, o mejor, llamémoslo puentecillo, es tan gracioso, todo de ladrillo, con esos cimientos que llegan hasta la mitad del canal. ¿Sabes qué te digo? Que su gracia consiste en ese artilugio de madera y cuerda que lo cubre como la armadura de una marquesina. Parece un juguete para un niño inteligente, ¿sabes esos niños que parecen hombrecitos y que juegan siempre con mecanos y cosas por el estilo? Antaño se veían en las casas pudientes, ahora quizá un poco menos, de todos modos me has entendido. Pero es todo una ilusión, porque ese gracioso puentecillo que aparentemente gira con cortesía para dejar paso a los barcos del canal, para mí es una trampa de las de verdad. La vieja señora no lo sabe, pobrecilla, ni siquiera se lo imagina, pero ahora dará otro paso y será un paso fatal, créeme, seguramente pondrá el pie en algún pérfido mecanismo, habrá un clic imperceptible, las cuerdas se tensarán, las dos partes del puente colgante se cerrarán como mandíbulas y ella quedará allí dentro como un ratón, en la mejor de las hipótesis, porque en la peor todos los barrotes que unen los ejes, esas palas algo siniestras, si lo piensas, se dispararán para encajar con exactitud milimétrica y ella, ¡zas!, quedará aplastada como una tortilla. El cochero no se dará ni cuenta, a lo mejor también está sordo, y además esa señora le importa un rábano, créeme, él tiene otras cosas que pensar, si es un campesino pensará en las viñas, los campesinos sólo piensan en la tierra, son bastante egoístas, para ellos el mundo termina en su terruño; si es un veterinario, porque también pudiera ser un veterinario, está pensando en cualquier vaca enferma en la granja que debe de encontrarse allá al fondo, aunque no se vea, las vacas son más importantes que las personas para los veterinarios, cada uno hace su papel en este mundo, qué le vamos a hacer, y los demás que se arreglen.

Lamento que todavía no lo hayas entendido, pero si te esfuerzas, estoy seguro de que lo conseguirás, tú eres una persona inteligente, y además no se requiere mucho esfuerzo para adivinar, o mejor, quizá haga falta un poco, pero me parece que te he dado suficiente información; te repito, probablemente sólo debes relacionar los elementos que te he proporcionado, de cualquier modo, mira, el museo está a punto de cerrar, veo que el guardia nos está haciendo señas, no soporto a estos guardias, tienen siempre una arrogancia que no te digo, si acaso volvemos mañana, total tampoco es que tú tengas mucho que hacer, ¿no?, y además el impresionismo es fascinante, ¡ah!, estos impresionistas, tan llenos de luz, de color, de sus cuadros llega casi un perfume de lavanda, qué maravilla, Provenza... He tenido siempre debilidad por estos paisajes, no te olvides el bastón, si no luego cualquier automóvil te atropella, lo has apoyado aquí a la derecha, un poco más allá, a la derecha, ya casi lo tienes, recuerda, tres pasos a nuestra derecha hay un escalón.

LAS PERSONAS FELICES

—Me temo que esta tarde hará mal tiempo —dijo la chica e indicó una cortina de nubes en el horizonte. Era delgadita y espigada, agitaba las manos y llevaba una pequeña cola de caballo.

La terraza del pequeño restaurante daba al mar. A la derecha, más allá del seto de jazmín que ascendía en forma de pérgola, se entreveía un patio lleno de escoria, cajas de botellas vacías, algunas sillas rotas. A la izquierda había una pequeña verja de hierro forjado bajo la cual brillaba la escalinata tallada en la pendiente de la roca. El camarero llegó con una bandeja de marisco humeante. Era un hombre pequeño con el cabello engominado, de aire tímido. Depositó la bandeja en la mesa e hizo una ligera inclinación. Sobre el brazo derecho llevaba una servilleta manchada.

—Este país me gusta —dijo la muchacha al hombre que se sentaba frente a ella—, la gente es ingenua y amable.

El hombre no contestó, desplegó la servilleta y se la introdujo en el cuello de la camisa, pero captó al vuelo la mirada crítica de la muchacha y se la colocó sobre las rodillas.

—A mí no me gusta —replicó—, no entiendo la lengua. Y además hace demasiado calor. Y además no me gustan los países del Sur.

Era un hombre cerca de los sesenta, con la cara cuadrada y las pestañas pobladas. Sin embargo, la boca era rosada y húmeda, con algo de mullido.

La muchacha se encogió de hombros. Parecía visiblemente fastidiada, como si aquella confesión contrastara con la franqueza que ella sentía en su interior.

—No es leal —dijo—, te han pagado todo, viaje y hotel, te han recibido con todos los honores.

El hizo un gesto displicente con la mano.

—No he venido por el país, he venido por el congreso. Ellos me tratan con todos los honores y yo les honro con mi presencia, estamos empatados. —Se concentró en trabajar con las pinzas un crustáceo, con lo que dio a entender que el argumento estaba agotado. Llegó una ráfaga de brisa que hizo volar la servilleta de papel que cubría la cestita del pan. El mar se estaba encrespando y era de un azul intenso.

La muchacha parecía contrariada, pero quizá era sólo ostentación. Al final, habló con un tono de ligero resentimiento, pero también con matiz conciliador.

—Ni siquiera me has dicho qué conferencia vas a pronunciar, parece que quieres ocultármelo todo, no me parece justo.

Finalmente, él había logrado vencer la resistencia del crustáceo y estaba mojando la pulpa en la mayonesa. Se le serenó el rostro y habló de un tirón, como un escolar que repite la lección.

—Estructuras y torceduras en los testamentos del latín medieval y vulgar en el área occitana.

La muchacha engulló como si el bocado se le hubiera atragantado y empezó a reír. Reía sin conseguir dominarse, tapándose la boca con la servilleta.

—Dios mío —sollozaba—, Dios mío. —Y reía.

También él estaba a punto de echarse a reír, pero se controlaba porque no sabía si le convenía o no adherirse a aquel estallido de hilaridad.

—A ver si me lo explicas —pidió cuando ella se calmó.

—Nada —dijo la muchacha entre pequeños estallidos intermitentes de sonrisas—, se me ha ocurrido que te va más lo vulgar que lo medieval, es sólo eso.

El movió la cabeza con fingida conmiseración, pero se veía que en el fondo estaba satisfecho.

—En cualquier caso, podemos empezar la clase. Escúchame atentamente. —Levantó el pulgar y dijo—: Primer punto: tienes que estudiar a los menores, son éstos los que ayudan a hacer carrera, los mayores ya han sido todos estudiados. —Levantó otro dedo—. Segundo punto: cita toda la bibliografía crítica posible, y procura disentir de los estudiosos difuntos. —Levantó otro dedo—. Tercer punto: nada de metodologías extravagantes, que están de moda hoy, pero que pasarán sin dejar huella, ve a lo sólido y lo tradicional.

Ella lo seguía atentamente, con mucha concentración. Quizá en su cara se dibujó el esbozo de una tímida réplica, porque él se sintió obligado a poner un ejemplo.

—Piensa en aquel especialista en literatura francesa que ha venido a hablarnos de Racine y de todos los complejos de Fedra —dijo—, ¿te parece normal?

—¿Fedra? —preguntó la muchacha, como si pensara en otra cosa.

—El especialista en literatura francesa —dijo él con paciencia.

La muchacha no respondió.

—Precisamente —dijo él—. Hoy los críticos tienen el hábito de descargar su nerviosismo sobre los textos literarios. Yo he tenido el valor de decirlo y ya has visto cómo se han escandalizado. —Abrió el menú y se puso a elegir el postre con atención—. El psicoanálisis es el invento de un loco —concluyó—, todos lo sabemos, pero prueba a ir diciéndolo por ahí.

La muchacha miraba distraídamente el mar. Tenía una expresión resignada y era casi atractiva.

—¿Y qué más? —preguntó como si siguiera pensando en otra cosa.

—El qué te lo digo más tarde —dijo el hombre—, pero mientras quiero decirte algo. ¿Sabes lo que tenemos de fuerte nosotros, de verdaderamente triunfador? ¿Lo sabes? Que somos personas normales, eso es lo que tenemos. —Escogió finalmente su postre e hizo una seña al camarero—. Y ahora puedo decirte el qué —continuó—. El qué es que pronto vas a presentarte a la oposición.

—Pero tendremos en contra a tu colega filólogo —objetó ella.

—¡Ah, ése! —exclamó él—. Ese se portará bien, es más, todo lo contrario, ya verás cómo estará a dispuesto. —Hizo una pausa llena de misterio.

—Cuando pasa por el pasillo con su pipa y el cabello agitado parece un dios —dijo ella—. No me soporta, ni siquiera me saluda.

—Aprenderá a saludarte, cariñito.

—Te he dicho que no me llames cariñito, me horroriza.

—En cualquier caso, aprenderá a saludarte —cortó él. Sonrió con aire astuto y se sirvió bebida. Lo hacía a propósito—. Sé muchas cosas sobre él —dijo al final abriendo una espiral en el misterio.

—Cuéntamelas a mí también.

—Oh, cosillas —barbotó con fingido desapego—, ciertos errores pasados, ciertas amistades antiguas con personas de este país cuando no era exactamente un ejemplo de democracia. Si fuera novelista, podría escribir un cuento.

—¡Venga! —dijo ella—, no te creo, está siempre en primera fila en la recogida de firmas y llamamientos, es de izquierda.

El hombre pareció reflexionar sobre el adjetivo.

—Será zurdo —concluyó.

La muchacha rió moviendo la cabeza, y al hacerlo agitó su cola de caballo.

—En cualquier caso, sería necesario el apoyo de alguien de otra universidad —dijo—, no podemos hacerlo todo como entre amigos.

—También he pensado en ello.

—¿Pero es que piensas en todo eso?

—Modestamente.

—¿El nombre?

—Nada de nombres. —Sonrió bonachonamente,

tomó la mano de la muchacha y asumió un aire pater-nal—. Escúchame bien, hay que razonar acerca de las personas y yo razono. De él escapan todos como liebres. ¿Te has preguntado alguna vez el porqué?

La muchacha movió la cabeza y él hizo un gesto misterioso.

—Un porqué tiene que haber —afirmó.

—También yo tengo mi porqué —dijo ella—. Estoy embarazada.

—No seas estúpida —dijo el hombre con una sonrisa ácida.

—No lo seas tú —replicó secamente la muchacha.

El hombre se había detenido con el pedazo de piña a un centímetro de la boca, en su mirada se notaba la sorpresa de la certeza.

—¿De cuánto?

—Dos meses.

—¿Por qué me lo dices ahora?

—Porque antes no me apetecía —dijo ella con firmeza. Hizo un gesto que abarcaba el mar, el cielo y al camarero que estaba llegando con el café—. Si es niña la llamaré Felicidad —dijo convencida.

El hombre se puso la piña en la boca y la tragó velozmente.

—Para mi gusto suena demasiado a Gozzano.

—Pues entonces Alegría, Hilaria, Dilecta, Serena, como gustes. Piensa lo que quieras, pero para mí el nombre incide en el carácter, a fuerza de oírse llamar Hilaria, una persona empieza a reír. Quiero un hijo alegre.

El hombre permaneció en silencio y con el gesto de escribirse en la mano se dirigió al camarero que esperaba pacientemente a distancia. El camarero comprendió y entró en el restaurante para preparar la cuenta. En la puerta había una cortina hecha con cuentas de metal y tintineaba largo rato cada vez que alguien entraba. La muchacha se levantó, tomó al hombre de la mano y tiró de él.

—Anda, ven a mirar el mar, no te hagas el viejo papanatas cabreado, es el día más bello de tu vida.

El hombre se levantó un poco a disgusto y se dejó arrastrar. La muchacha le pasó un brazo alrededor de la cintura, empujándolo.

—El que parece embarazado eres tú —dijo—, tienes una barriga de seis meses. —Dio una carcajada resonante y saltos como un pajarillo.

Se apoyaron en el parapeto de madera. En el breve terreno sin cultivar frente a la terraza había plantas de agave y muchas flores salvajes. El hombre sacó del bolsillo un cigarrillo y se lo puso en los labios.

—Por Dios —dijo ella—, de nuevo esa peste insoportable, será la primera cosa que eliminaré de nuestra vida.

—Inténtalo —dijo él con aire de sorna.

Ella le abrazó con fuerza y le frotó una mejilla con la cabeza.

—Este restaurante es una delicia.

El hombre se dio golpecitos en el estómago. En su rostro se veía satisfacción y seguridad.

—La vida hay que saber afrontarla —respondió.

LOS ARCHIVOS DE MACAO

—*Escuche, estimado señor, su padre tiene un carcinoma de laringe, yo no puedo abandonar el congreso para operarlo mañana, he invitado a media Italia, ¿lo entiende? Y, además, una semana antes o después, con lo que tiene...*

—*La verdad es que nuestro médico sostiene que se debe intervenir inmediatamente, porque se trata de un carcinoma de progresión rapidísima.*

—*Sí, sí, inmediatamente, caramba. ¿Y a los congresistas qué les digo, que mañana tengo que operar y el congreso se aplaza? Escuche, su padre hará como los demás, esperará a que el congreso haya concluido.*

—*Ahora escúcheme usted, doctor Piragine, a mí su congreso me da igual, quiero que mi padre sea operado en seguida, y también los demás, los urgentes.*

—*No tengo la menor intención de discutir con usted el calendario de mi quirófano. Esta es la Universidad de Pisa y tengo también precisas obligaciones didácticas, no tolero que usted me diga qué debo hacer. Puedo operar a su padre sólo la próxima semana. Si no está de acuerdo, saque al paciente del hospital y encuentre otro. Se sobreentiende que la responsabilidad es suya. Buenos días.*

La voz de la azafata ha rogado que nos abrochemos los cinturones y apaguemos los cigarrillos, una escala que durará unos cuarenta minutos para repostar y efectuar la limpieza. Y mientras han empezado a verse por la ventanilla las luces de Bombay y, paulatinamente, las luces azules de la pista, justo en ese momento, habrá sido a causa del ligero salto por la sacudida del aterrizaje, a veces las asociaciones de ideas surgen por este tipo de cosas, me he encontrado sobre tu lambretta. Tú conducías con los brazos abiertos, porque las lambrettas de aquella época tenían el manillar ancho, miraba tu bufanda que se agitaba al viento y me hacía cosquillas con los flecos, hubiera querido rascarme la nariz, pero tenía miedo de caerme, era mil novecientos cincuenta y seis, eso es seguro, porque la compra de la lambretta había festejado mi decimotercer año de edad; te he golpeado con dos dedos en el hombro, como para rogarte que fueras más despacio, y entonces te has dado la vuelta sonriendo y, al hacer ese movimiento, la bufanda ha resbalado por el cuello, pero muy lentamente, como si cada movimiento de los objetos en el espacio fuese retardado, y he visto que bajo la bufanda tenías una herida horrenda que te cruzaba el cuello de lado a lado, era tan ancha y abierta que dejaba al descubierto los tejidos musculares, los vasos sanguíneos, la carótida, la faringe, pero tú no sabías que tenías esa herida y sonreías, despreocupado, y, en efecto, no la tenías, era que yo la veía, es extraño cómo algunas veces puede ocurrir que superponemos dos recuerdos en un único recuerdo, me estaba sucediendo esto, recordaba tu imagen de mil novecientos cincuenta y seis y, a la vez, añadía la imagen que después me habrías dejado para siempre, casi treinta años más tarde.

Me doy cuenta de que no se debe escribir a los muertos, pero sabes perfectamente que en ciertos casos escribir a los muertos es una excusa, es un elemental hecho freudiano, porque es la manera más rápida de escribirnos a nosotros mismos, y por eso perdóname, me estoy escribiendo a mí mismo, aunque, por el contrario, acaso esté escribiendo a la memoria tuya que tengo dentro de mí, a la huella que has dejado dentro de mí; y, por lo tanto, en cierta manera estoy escribiéndote de verdad a ti; pero no, quizá ésta es también una excusa, en realidad estoy escribiendo sólo para mí: también tu memoria, tu huella son sólo algo mío, tú no estás aquí en nada, estoy sólo yo, aquí, sentado en el asiento de este jumbo que se dirige a Hong Kong y pienso que voy en lambretta, sabía muy bien que estaba volando en un avión que me llevaba a Hong Kong, desde donde tomaré un transbordador para Macao, sólo que estaba viajando en lambretta, era mi decimotercer cumpleaños, mientras conducías con la bufanda y estaba yendo a Macao en lambretta. Y tú, sin darte la vuelta, con la bufanda al viento que me hacía cosquillas con los flecos, has exclamado: ¿a Macao?, ¿y qué vas a hacer en Macao? Y yo te he dicho: voy a buscar documentos en archivos, hay un archivo municipal, y también el archivo de un viejo instituto, voy a buscar papeles, tal vez cartas, no sé, en suma, manuscritos de un poeta simbolista, un tipo extraño que vivió en Macao durante treinta y cinco años, era opiómano, murió en 1926, era portugués, se llamaba Camilo Pessanha, de origen genovés, de un Pezagno que en el año 1300 estuvo al servicio de un rey portugués, era un poeta, ha escrito sólo un pequeño libro de poemas, *Clepsydra*, escucha este verso: han florecido por error las rosas selváticas. Y tú me has preguntado: ¿te parece que tiene algún sentido?

ULTIMA INVITACION

Para el viajero solitario, aunque raro no del todo imposible, que no se resigna a las formas tibias y homologadas del morir hospitalario que los Estados modernos aseguran y, lo que es más, está aterrorizado por la idea del tratamiento apresurado e impersonal al que la unicidad de su cuerpo será sometida en las exequias, Lisboa ofrece aún una apreciable variedad de elección para un noble suicidio y, por otro lado, las más decorosas, diligentes, educadas y, sobre todo, económicas estructuras para el arreglo de lo que inevitablemente queda tras un suicidio bien realizado: el cadáver.

Escoger un lugar acorde con la voluntaria defunción y la forma de la misma parece hoy una empresa prácticamente desesperada, de manera que incluso los más voluntariosos se resignan a las formas del morir natural, quizá ayudados también por la idea, actualmente difundida en todas las conciencias, de que la destrucción atómica del planeta, el Suicidio Total, es sólo cuestión de tiempo y, por consiguiente, ¿de qué sirve preocuparse tanto? Idea, esta última, bastante discutible y, como mínimo, desorientadora en su engañoso silogismo: en principio porque crea cierta connivencia con la Muerte y por la mismo una especie de resignación a lo llamado «Inevitable» (sentimiento que debe permanecer ajeno al suicidio, acto privado por excelencia y difícil de someter a la idea colectivista, so pena de la desnaturalización de la esencia misma del acto suicida); en segundo lugar, porque nunca se trataría, incluso en el caso de la Gran Explosión, de un suicidio, sino de un homicidio animado por impulsos de muerte hetero- y autodestructivos operados a gran escala, similares a los que animaron a los lúgubres nazis; y de naturaleza coactiva, por lo tanto en contraste con la inalienable naturaleza del acto suicida, que consiste, como sabemos, en la libre elección.

Por otro lado, hay que añadir que durante esa espera del Suicidio Total uno se va muriendo, algo que juzgo digno de reflexión. Y se muere, no sólo por las más tradicionales y antiguas formas de morir, sino también en gran parte por causas derivadas de las mismas diabólicas trampas que preludian al Suicidio Total. Esas dichosas invenciones, con el solemne motivo, entre otros, de que los tubos catódicos de nuestras casas tienen que ser encendidos y que, por tanto, es necesario alimentarlos con energía, distribuyen cotidianamente dosis de veneno indiscriminadas, y por ello equívocamente democráticas; y, en conclusión, insinuando la idea del inevitable Suicidio Total conllevan al mismo tiempo un homicidio sistemático y constante, yo diría que progresivo. Así, el suicida potencial que no llega a suicidarse porque da lo mismo esperar el Suicidio Total, no piensa, el muy mentecato, que en esos momentos está ingiriendo estroncio radiactivo, cesio y golosinas similares, y que mientras está aplazando su muerte quizá esté incubando en el hígado, en los pulmones o en el páncreas una de las innumerables formas de carcinoma que los elementos mencionados son pródigos en elaborar.

No quiero indicar que un lugar donde uno todavía puede suicidarse correctamente, con total libertad y con formas que pertenecieron a nuestros antepasados y que hoy se dirían desaparecidas, parezca un servicio de alguna utilidad pública (aunque podría serlo), sino que sirva para reflexionar, desde un punto de vista puramente teórico, sobre una libertad: un abstracto sentido de iniciativa practicada sobre nosotros mismos, y que pueda ser llevada a cabo sin caer en las formas más humillantes y vulgares a las que el suicidio parece inevitablemente abocado en los Países definidos como industrialmente avanzados (excluyo, obviamente, los Países donde existe el problema de la supervivencia política, mental o alimentaria, en los cuales el suicidio aparece como una forma de desesperación que queda fuera de la forma de suicidio que aquí se examina, basada en la libre elección).

Lisboa, desde esta perspectiva, parece una ciudad llena de recursos.

La primera confirmación proviene de la consulta de la guía telefónica, donde las funerarias tienen a su disposición nada menos que dieciséis páginas. Dieciséis páginas en las «páginas amarillas» son muchas, hay que admitirlo, y más si se considera que Lisboa no es una ciudad enorme. Y éste es un primer dato estadístico muy elocuente sobre la cantidad de empresas en funcionamiento. Sólo queda el problema de la elección. Una segunda consideración es que la Muerte, en Portugal, no parece pertenecer, como en otros países, al ambiguo dominio de la reticencia y de la «vergüenza». No hay vergüenza alguna en morir, y la muerte se considera justamente un hecho necesario de la vida; por lo tanto, las prácticas que conciernen a la defunción son tratadas con el mismo empeño que otros servicios útiles al ciudadano como las *Aguas*, los *Restaurantes*, los *Transportes*, los *Teatros* (cito al azar), que son servicios de utilidad pública localizables telefónicamente. Según esta lógica, las funerarias de Lisboa no ahorran en publicidad; y siempre en la guía telefónica la hacen palmariamente: con evidencia, con ostentación y con innegable atractivo. A menudo a toda página, sobrias u ornamentadas, con eslóganes extremadamente adecuados, ilustran sus servicios.

Algunas apelan a la tradición. «Há mais de meio século serve meia Lisboa» (desde hace más de medio siglo sirve a media Lisboa) se jacta el anuncio de una agencia con sede en la avenida Almirante Reis y en el que el adjetivo *meio* referido al tiempo parece una información puramente histórica, mientras que el segundo *meia Lisboa* insinúa un uso menos estadístico, más caluroso y familiar; a media Lisboa, en este caso, quiere decir *una mayoría*, casi una totalidad, con una leve connotación interclasista. Difuntos de todas las clases sociales y de todos los rangos, se sobreentiende en este anuncio, han sido cuidados por esta tradicional e impecable agencia. Otras agencias, por el contrario, apuestan por la eficacia de la modernización. «Os únicos auto-fúnebres automáticos» (los únicos coches fúnebres automáticos), dice una agencia que goza de cuatro filiales en la ciudad. La modernización y la mecanización son de gran efecto, pero ciertamente la publicidad juega con la curiosidad del cliente. ¿En qué consistirá el automatismo de un coche fúnebre? Merece la pena probarlo.

Por lo demás, casi todas las agencias insisten en la experiencia y en la seriedad profesional. En este caso, su anuncio en la guía telefónica está acompañado del rostro del propietario y de los empleados: rostros inequívocos de sepultureros con años de honesto y respetable trabajo. Aquí cuenta la confianza, la competencia y la distribución de los papeles. Estos no ocultan la fisonomía de su profesión, es más, exhiben con orgullo el estereotipo. Tienen rostros doloridos pero sutiles, patillas anchas, frecuentemente barbas oscuras muy cuidadas, los hombros algo caídos, chaqueta y corbata negras, a menudo gafas con pesadas monturas de pasta. Saben administrar la muerte, es evidente, lo han hecho siempre y están orgullosos. De estos sepultureros puede uno fiarse.

Pero el anuncio más interesante para el cliente potencial es el de una agencia discreta que subraya su *Servicio Permanente* y donde aparece esta frase: «Nos momentos difíceis a opçao certa» (en los momentos difíciles la elección justa). Más abajo, tras la tranquilizadora garantía de que la agencia utiliza tan sólo *flores naturais*, otra frase: «Faça do nosso serviço un bom serviço, preferindo-nos» (haga de nuestro servicio un buen servicio, prefiriéndonos). ¿A quién se dirigen estas frases si no es al propio interesado? El interlocutor privilegiado de esta diligente agencia es, sin duda alguna, el *moriturus*. Es *con él* con quien la agencia desea tener una entrevista, un acuerdo, una complicidad. Hay algo de conyugal en estas frases esenciales y al mismo tiempo anodinas: parecen la quintaesencia de un contrato o de una obviedad, serían completamente plausibles en boca del marido de Emma Bovary, por la noche frente al fuego. Pero también en nuestra boca, cuando nos sentamos a la mesa para cenar y establecemos una relación de connivencia recíproca con eso que llamamos vivir.

Los lugares y las formas de la muerte, por su variedad y su riqueza, requerirían un tratado específico. Es mejor dejárselos al usuario, para no quitarle además al suicidio la inspiración y la creatividad que debe poseer. Sin embargo, no se puede callar la que, por su estructura y conformación, me parece la vocación electiva de Lisboa: el salto. Me doy cuenta de que el vacío ha sido desde siempre una atracción príncipe para los espíritus en fuga. Aunque sabe que un suelo le espera, el hombre que elige el vacío denota un rechazo de la plenitud, tiene horror a lo material y desea recorrer la vía del Vacío Eterno atravesando durante algunos segundos el vacío de la física. Además, el salto participa del vuelo, contiene una suerte de rebelión contra la condición humana del bípedo, tiende al espacio, a las grandes dimensiones, al horizonte. Pues bien, en esta noble forma de suicidio, Lisboa es sin duda una ciudad de elección obligada. Movida, variada, escalonada, con terrazas imprevistas, constelada de agujeros, de aberturas, de espacios que se abren de improviso, de lugares históricos para suicidios históricos (o Aqueducto das Aguas Livres, o Castelo a Torre de Belém), de lugares refinados para suicidios art-déco (Elevador de Santa Justa), de lugares mecánicos para suicidios constructivistas (Ponte 25 de Abril), esta ciudad bellísima pone a disposición del voluntarioso una gama de saltos como ninguna otra ciudad europea. Y en este sentido, el lugar indiscutiblemente más adecuado para el salto es el Cristo-Rei a orillas del Tajo. Ese Cristo, no se puede negar, es una invitación en piedra, un himno escultórico al salto, una sugerencia, un símbolo, tal vez una alegoría. Ese Cristo es la imagen de un *plongeur*, sus brazos están abiertos de par en par en un trampolín desde el cual está preparado para lanzarse. El no es un imitador, es un compañero y eso supone un consuelo. Abajo, discurre el Tajo. Lento, sosegado, fuerte. Dispuesto a acoger, a arrastrar hasta el Atlántico el cuerpo del voluntario convirtiendo así en inútiles incluso los más solícitos cuidados de las funerarias de Lisboa.

Sobre otras formas de suicidio, por brevedad, callaré. Pero antes de acabar, por corrección hacia toda una cultura, debo mencionar al menos una. Es una forma peculiar y sutil, requiere entrenamiento, constancia, perseverancia. Es la muerte por *Saudade*, en su origen una categoría del espíritu, pero también una actitud que se puede aprender, si se tiene buena voluntad. El ayuntamiento de Lisboa, desde siempre, ha dispuesto sillas públicas en los lugares privilegiados de la ciudad: los muelles del puerto, los miradores, los jardines desde los que se domina la línea del mar. Muchas personas se sientan allí. Callan, miran a lo lejos. ¿Qué hacen? Están practicando la *Saudade*. Intentad imitarles. Naturalmente, es un camino difícil de recorrer, los efectos no son inmediatos, a veces es hasta necesario esperar muchos años. Pero la muerte, ya se sabe, está hecha también de esto.

Otros cuentos (1981-1985)

Estas tres narraciones no forman parte de *Los volátiles del Beato Angélico*, sino que han sido incorporadas a la segunda edición italiana de *El juego del revés*.

EL GATO DE CHESHIRE

1

Y después de todo no era verdad. Digamos más bien palpitaciones, si bien las palpitaciones no son más que un síntoma, y por eso. Pero miedo no, se dijo, qué estupidez, la simple emoción, eso es. Abrió la ventanilla y se asomó. El tren estaba disminuyendo la velocidad. La marquesina de la estación temblaba a través del aire tórrido. Un calor exagerado, pero si no hace calor en julio, ¿cuándo lo va a hacer? Leyó el cartel de Civitavecchia, bajó la cortina, oyó algunas voces, después el silbido del jefe de estación y el ruido de las portezuelas al cerrarse. Pensó que si fingía que estaba durmiendo quizá nadie entraría en el compartimiento, cerró los ojos y se dijo: no quiero pensar en ello. Y después dijo: debo hacerlo, esto no tiene sentido. Pero ¿por qué?, ¿es que las cosas tienen sentido? Tal vez sí, pero un sentido secreto, se comprende después, mucho más tarde, o no se comprende, pero tienen que tener un sentido: un sentido propio, que a veces no nos concierne, aunque parezca que sí. Por ejemplo, la llamada telefónica.

«Hola, Gato, soy Alicia, he vuelto, ahora no te lo puedo explicar, sólo tengo dos minutos para dejarte un mensaje.» Unos segundos de silencio. «... Tengo que verte, tengo absolutamente que verte, es lo que ahora más deseo, he pensado siempre en ello durante estos años.» Unos segundos de silencio. «¿Cómo estás, Gato, te ríes todavía de aquella manera? Perdona, la pregunta es estúpida, pero es tan difícil hablar sabiendo que la voz se está grabando, tengo que verte, es muy importante, te lo ruego.» Unos segundos de silencio. «Pasado mañana quince de julio a las quince horas, estación de Grosseto, te esperaré en el andén, tienes un tren que sale de Roma hacia la una.» Clic.

Uno vuelve a casa y se encuentra un mensaje así en el contestador. Después de tanto tiempo. Todo engullido por los años: aquel período, aquella ciudad, los amigos, todo. E incluso la palabra gato, también engullida por los años, que reaparece en la memoria junto a la sonrisa que aquel gato llevaba consigo porque era la sonrisa del gato de Cheshire. Alicia en el país de las maravillas. Era una época de maravillas. Pero ¿lo era de verdad? Ella era Alicia, y él el gato de Cheshire: todo era un divertimiento, como una bella historia. Pero mientras tanto, el gato había desaparecido, exactamente como en el libro. Quién sabe si no había quedado la sonrisa, pero la sonrisa solamente, sin el rostro al que pertenecía aquella sonrisa. Porque el tiempo pasa y devora las cosas, tal vez quede sólo la idea. Se levantó y se miró en el espejo colgado sobre el asiento del centro. Sonrió. El espejo le devolvió la imagen de un hombre de cuarenta años, de rostro delgado y bigote rubio, con una sonrisa incómoda y forzada como todas las sonrisas hechas ante el espejo: sin malicia, sin diversión, sin la astucia del que toma el pelo a la vida. Bien distinto del gato de Cheshire.

La señora entró en el compartimiento con aire tímido. ¿Está ocupado? Claro que no, está todo vacío. Era una señora anciana con un esfumado celeste en los cabellos blancos. Sacó la labor y se puso a hacer punto. Llevaba unas gafas redondas con una cadenita. Parecía haber salido de un anuncio televisivo. ¿Usted también va a Turín?, preguntó enseguida. Preguntas de tren. Respondió que no, que él se bajaba antes, pero no dijo en qué estación. Grosseto. ¿Qué sentido tenía? Y además, ¿por qué Grosseto, qué hacía Alicia en Grosseto, por qué le había citado allí? Sintió cómo el corazón le latía con fuerza y pensó de nuevo en el miedo. Pero ¿miedo de qué? Es la emoción, se dijo, ¿miedo de qué, vamos, miedo de qué? Del tiempo, del gato de Cheshire, el tiempo que ha hecho que todo se evapore, incluida tu preciosa sonrisita de gato de Alicia en el país de la maravillas. Y ahora de nuevo aquí, su Alicia de las maravillas, el quince de julio a la quince horas, muy típico de ella que amaba los juegos con los números y coleccionaba mentalmente fechas incongruentes. Del tipo: *Perdóname, Gato, pero ya no es posible. Te escribiré para explicártelo todo. 10 del 10, a las 10 (dos días antes del descubrimiento de América). Alicia.* Era el mensaje de despedida, lo había dejado en el espejo del baño. La carta había llegado casi un año después, explicaba todo con lujo de detalles, pero en realidad no explicaba nada sólo decía cómo funcionaban las cosas, su mecánica de superficie. Por eso la había tirado. La nota, en cambio, la conservaba todavía en la cartera. La sacó y la miró. Estaba amarillenta en los pliegues y se había abierto una hendidura en el centro.

2

Hubiera querido abrir la ventanilla, pero quizá a la señora le molestara. Y además un cartel metalizado rogaba que no se abriera para no perjudicar el efecto del aire acondicionado. Se levantó y salió al pasillo. Tuvo tiempo de ver la mancha clara de las casas de Tarquinia antes de que el tren tomara la curva lentamente. Cada vez que pasaba por Tarquinia recordaba a Cardarelli. Y después que Cardarelli era hijo de un ferroviario. Y después la poesía *Liguria*. Algunos recuerdos escolares se resisten a morir. Se dio cuenta de que estaba sudando. Volvió a entrar en el compartimiento y cogió su pequeña bolsa de viaje. En el lavabo se echó desodorante bajo las axilas y se cambió de camisa. Quizá pudiera también afeitarse, para matar el tiempo. Verdaderamente no le hacía mucha falta, pero quizá le diera un aspecto más fresco. Había llevado el neceser de baño y la maquinilla eléctrica, no había tenido el valor de confesárselo, pero era por la posibilidad de pasar la noche fuera. Se afeitó solamente a contrapelo, con mucha atención y se cubrió de *after shave*. Después se lavó los dientes y se peinó. Mientras se peinaba intentó sonreír, le pareció que había mejorado, no era la sonrisa algo idiota que había esbozado antes. Se dijo: tienes que hacer algunas hipótesis. Pero no se sentía capaz de hacerlas mentalmente, se le cruzaban en forma de palabras, se enmarañaban y se confundían, no era posible.

Volvió al compartimiento. Su compañera de viaje se había quedado dormida con la labor en el regazo. Se sentó y sacó un cuaderno. Si quería, podía imitar con cierto grado de aproximación la caligrafía de Alicia. Pensó en escribir una nota como la que hubiera podido escribir ella, con esas absurdas hipótesis suyas. Escribió: *Stephen y la niña han muerto en un accidente de coche en Minnesota. No puedo vivir ya en los Estados Unidos. Te lo ruego, Gato, consuélame en este terrible momento de mi vida.* Hipótesis trágica, con una Alicia devastada por el dolor que ha comprendido el sentido de la vida gracias a un tremendo destino. O bien una Alicia avispada y desenvuelta, con una pizca de cinismo: *Se había convertido en una vida de infierno, en una cárcel insoportable, de la niña se encargará el niñato de Stephen, están hechos de la misma madera, adiós Estados Unidos.* O bien una nota entre lo patético y lo sentimental, estilo novela rosa: *A pesar de todo este tiempo, jamás has salido de mi corazón. Ya no puedo vivir sin ti. Créeme, tu esclava de amor, Alicia.*

Arrancó la nota del cuaderno, la arrugó y la echó en el cenicero. Miró por la ventanilla y vio una bandada de pájaros que volaban sobre un espejo de agua. Ya habían pasado por Orbetello, por lo tanto aquello era la zona de Alberese. Para Grosseto faltaban unos diez minutos. Sintió de nuevo que el corazón se le subía a la garganta y una especie de ansia, como cuando uno se da cuenta de que está llegando tarde. Pero el tren era puntualísimo y él estaba dentro del tren y, por lo tanto, él también era puntual. Sólo que no se esperaba estar tan cerca de la llegada, estaba retrasado consigo mismo. En la bolsa tenía una chaqueta de lino y una corbata, pero le pareció ridículo descender tan elegante, con la camisa estaba bien, y además con aquel calor... El tren se desvió en un cruce y el vagón osciló. El último vagón oscila siempre más, es siempre un poco molesto, pero en la estación de Termini no había tenido ganas de recorrer todo el andén y se había metido en el último vagón, con la esperanza, además, de que hubiera menos gente. Su compañera de viaje balanceó la cabeza en señal afirmativa, como si se dirigiera a él para aprobarle, pero era sólo el efecto del balanceo, porque siguió durmiendo tranquilamente.

Guardó el cuaderno, arregló un poco la chaqueta que se había arrugado ligeramente, se pasó una vez más el peine por la cabeza, cerró la cremallera de la bolsa. Por la ventanilla del pasillo vio los primeros edificios de Grosseto y el tren comenzó a disminuir la velocidad. Intentó imaginarse el aspecto de Alicia, pero ya no había tiempo para esas hipótesis, las podía haber hecho antes, quizá se habría entretenido mejor. El pelo, pensó, ¿cómo tendrá el pelo? Lo tenía largo, pero quizá se lo haya cortado, seguro que se lo ha cortado, ahora el pelo largo no se lleva. Su vestido se lo imaginó blanco, quién sabe por qué.

3

El tren entró en la estación y se detuvo. El se levantó y bajó la cortina. A través de la rendija echó una ojeada fuera, pero estaba demasiado lejos de la marquesina, no conseguía ver nada. Cogió la corbata y se hizo el nudo con calma, después se puso la chaqueta. Se miró al espejo y sonrió un rato. Estaba mejor. Oyó el silbato del jefe de estación y las portezuelas que se cerraban. Entonces alzó la cortina, bajó el cristal y se apoyó en la ventanilla. El andén comenzó a desfilar lentamente a lo largo del tren que se ponía en marcha, y él se asomó para ver a las personas. Los viajeros que habían descendido se dirigían al paso subterráneo, bajo la marquesina había una viejecita vestida de oscuro con un niño de la mano, un mozo de estación sentado en su carro y un heladero con la chaqueta blanca y la caja de los helados en banderola. Pensó que no era posible. No era posible que ella no estuviera allí, bajo la marquesina, con el pelo corto y un vestido blanco. Corrió al pasillo para asomarse a la otra ventanilla, pero el tren estaba ya fuera de la estación y empezaba a coger velocidad, apenas tuvo tiempo de ver el letrero de *Grosseto* que se alejaba. No es posible, pensó otra vez, estaba en el bar. No ha resistido con este calor y ha entrado en el bar, tan segura estaba de que yo vendría. O tal vez estaba en el paso subterráneo, apoyada en el muro, con ese aire suyo ausente y a la vez estupefacto de eterna Alicia en el país de las maravillas, el pelo todavía largo y un poco enmarañado, y con las mismas sandalias azules que él le había regalado aquella vez en la playa, y le habría dicho: me he vestido así, como antaño, para complacerte.

Recorrió el pasillo en busca del revisor. Estaba en el primer compartimiento ordenando papeles: evidentemente, había entrado con el nuevo turno y no había comenzado todavía la vuelta de control. Se asomó y le preguntó cuándo había un tren de regreso. El revisor le miró con un aspecto ligeramente perplejo y le preguntó: ¿de regreso adónde? En sentido contrario, dijo él, hacia Roma. El revisor se puso a hojear el horario. Hay uno en Campiglia, pero no sé si llegará a tiempo para cogerlo, o si no... Miró el horario con mayor atención y preguntó: ¿quiere un expreso o le vale uno local? El se quedó pensando y no respondió enseguida. No importa, dijo al final, ya me lo dirá más tarde, total, hay tiempo.

VAGABUNDEO

A Sergio Vecchio, viejo amigo

1

A veces empezaba así, con un rumor imperceptible, como una pequeña música; y también con un color, una mancha que nacía en el interior de los ojos y se ensanchaba sobre el paisaje y después invadía nuevamente los ojos y de éstos pasaba al alma: el añil, por ejemplo. El añil tenía un sonido de oboe, a veces de clarín, en los días más felices. El amarillo, en cambio, tenía el sonido de órgano.

Miraba las hileras de los álamos que emergían del colchón de niebla como tubos de un órgano y sobre ellos vio la música amarilla de la puesta de sol, con alguna nota dorada. El tren corría por el campo, el horizonte era un hilo incierto que aparecía y desaparecía entre las oleadas de niebla. Aplastó la nariz contra el vapor condensado del cristal: añil, en el violeta de la noche. Alguien le tocó en un hombro y se sobresaltó.

—¿Le he asustado? —dijo un hombre. Era un anciano señor corpulento, con una cadena de oro sobre el chaleco. Tenía un aire sorprendido y contrariado a la vez—. Perdóneme, no creía...

—Oh, no es nada —dijo él, y con la mano borró rápidamente las palabras del cristal.

El hombre se presentó diciendo primero su apellido. Era un corredor de ganado de Borgo Panigale.

—Voy a la feria de Módena —dijo—, y usted, ¿va lejos?

—No lo sé —respondió—, no sé adónde va este tren.

—Y entonces, ¿por qué lo ha cogido? —preguntó el hombre con lógica—, si ni siquiera sabe adónde va.

—Para viajar —respondió—, porque los trenes viajan.

El Corredor sonrió y sacó un cigarro. Lo encendió y echó el humo.

—Claro que los trenes viajan, y nosotros viajamos dentro. ¿Cómo se llama usted?

—Me llamo Dino.

—Es un nombre bonito. ¿Y qué más?

—¿Y qué más qué?

—De apellido.

—Artista.

—¿De apellido?

—Sí, Artista. Señor Dino Artista.

—Es un apellido curioso, nunca lo había oído.

—Lo he inventado yo, es un seudónimo.

—¿Qué quiere decir?

—Quiero decir que es un nombre artístico. Y ya que es un nombre artístico, he elegido Artista.

—Entonces, ¿es usted artista?

—Efectivamente —dijo él. Y escribió en el vaho del cristal: Dino Artista.

—¿Y artista de qué, de variedades?

—De todo, de todo. Saltimbanqui, principalmente, y también acróbata. Ahora se me ha ocurrido una acrobacia, un día la haré; antes o después, iré a los Estados Unidos.

—¿A hacer de acróbata?

—No, iré en tranvía, ésa es la acrobacia.

—¿En tranvía? ¡No se puede ir a los Estados Unidos en tranvía, de por medio está el mar!

—Se puede, se puede —dijo—, es difícil, pero no imposible.

—Ah, ¿sí? —dijo el Corredor—, ¿y cómo se hace?.

—Magia —dijo él—, magia del arte. —Después, cambió de pronto de conversación y miró alrededor circunspectamente—. El revisor no ha pasado todavía, ¿verdad?

El Corredor negó con la cabeza y entendió en seguida.

—No tienes billete, jovencito, ¿no es así?

El asintió y bajó los ojos como si se avergonzara.

—Debo encerrarme en los lavabos, por lo menos hasta que haya pasado.

El Corredor se rió.

—Estamos llegando a Módena —dijo—, si quieres bajar conmigo te invito a comer en I Fratelli Molinari.

2

El Corredor no paraba de hablar, era un hombre jovial, le gustaba ir en carruaje, dar órdenes al conductor, asumir aquel tono hospitalario de persona generosa, se veía que le daba satisfacción. Le dijo al conductor que pasara por el centro, porque quería mostrar a su invitado la Ghirlandina: no se puede venir a Módena sin ver la catedral y la torre. Con la mano enguantada mostraba por la ventanilla las bellezas de la ciudad y las ilustraba con las palabras obvias de quien no es instruido, pero con el tono caluroso de quien ama a las cosas y a la gente.

—Esta es la plaza Real —decía—, y ahora vamos a la plaza Grande, mira hacia lo alto, asómate por la ventanilla.

Después la carroza enfiló una calle larguísima flanqueada por antiguos palacios.

—Este es el Corso de la Via Emilia —decía el Corredor—, se llama así porque prosigue el camino fuera de las murallas, de una parte hacia Bolonia y de la otra hacia Reggio. Nuestro restaurante está allí, en la esquina con la calle San Carlos.

I Fratelli Molinari era un restaurante amplio y lleno de gente, con mesas de mármol y grandes percheros de los que colgaban los abrigos de los parroquianos. El Corredor era un hombre conocido y muchos le saludaban. Estaba muy animado, debido al mercado del día siguiente. Eligieron una mesa en la esquina, y el dueño llegó con una botella de vino como obsequio de la casa. En aquel restaurante había esa costumbre. El joven miraba a su alrededor con ojos despiertos. Toda aquella animación le alegraba, en el local hacía calor y había humo, tras los cristales se divisaba una muralla con penachos de alcaparras en los intersticios de las piedras, la niebla había descendido todavía más y hacía irreales los perfiles.

Con la comida y con el vino las mejillas del Corredor habían enrojecido y los ojos le brillaban.

—Mi hijo era un jovenzuelo como tú, se llamaba Pietro —dijo conmoviéndose—, murió de fiebres en 1902, hace ya cuatro años. —Después se sonó las narices en la servilleta y dijo—: El también llevaba bigote.

Cuando salieron estaba cayendo la noche y los faroleros encendían los primeros fanales. Algunas tiendas tenían antorchas encendidas cerca de sus letreros y sobre los estípites de algunas hosterías había ramas de laurel. Un niño con una máscara de cartón pasó bajo los soportales de la mano de una mujer. Era febrero.

—Es el último día de Carnaval —dijo el Corredor—, quédate a hacerme compañía, tengo una habitación en el hotel Italia y puedo alojarte, vamos a divertirnos juntos.

El joven lo siguió en silencio por las calles ya desiertas. Sus pasos resonaban en el empedrado y ninguno habló. Atravesaron soportales y llegaron a un edificio de piedra gris, con un pesado portón. El Corredor tiró de la manilla de una campana y en el portón se abrió una pequeña puerta. Subieron una larga escalera y entraron en un vestíbulo con una vidriera llena de colores. Les recibió una señora muy rubia, con un vestido floreado, que les hizo pasar a un saloncito. En las paredes había algunos retratos de bellas muchachas y el joven se puso a observarlas con atención.

—Ahora ya no es como antaño —susurró el Corredor—, cuando la madame era Ana la de Ferrara. Ella sí que sabía, tenía siempre chicas de primera calidad. Pero se ha casado con un viejo bobalicón de Roma, un profesor, se ha convertido en una señora honesta. Ahora hay que conformarse con lo que pase el convento. —Rió brevemente y se puso a observar el retrato de una muchacha morena fotografiada con las manos en el corazón—. Yo elijo ésta —dijo—, me gustan sus ojos. ¿Cuál eliges tú?

El joven le miró con ojos desencajados.

—¿Por qué debo elegir? —balbució.

—¿Cómo que por qué?

—¿Para qué?

—¡¿Para qué?! ¿Cómo que para qué?

—¿Para hacer qué?

El Corredor se llevó una mano a la frente y dijo:

—¡Por Dios! —Y luego añadió—: ¿Pero es la primera vez?

—Sí —susurró el jovenzuelo.

—Pero, ¿cuántos años tienes, muchacho?

—Veintiuno.

—¿Y nunca lo has hecho?

—No.

—Bueno, mira, no tiene importancia, ellas te enseñarán, verás que es la cosa más fácil del mundo.

Agitó la campanilla que estaba en la mesita y en el pasillo se oyeron rumores y risitas.

—Ya vamos, ya vamos, un poco de paciencia —gritó una voz de mujer.

3

Se estaba desmontando la feria. Por el suelo quedaban cartones y los puestos estaban recogiendo. Un niño pasó con una trompeta de papel que se desenrollaba al tocarla. Cerca de Correos aparcaban las carrozas y las carretas de mercancías que partían hacia Bolonia o Reggio. En la puerta de Correos había un mercachifle. Era un vagabundo delgado, con un pequeño acordeón y un loro en una pequeña jaula. Vestía un traje de fustán y llevaba una cajita al hombro en bandolera.

—Este es Regolo —dijo el Corredor al joven—, va a Reggio e incluso más lejos, va por todas las ferias, te hará compañía.

El joven y el mercachifle se estrecharon la mano.

—Te lo confío —susurró el Corredor al mercachifle—, cuida de él por un tiempo, me recuerda a mi hijo, es un artista, se llama Dino.

El carretero hizo restallar el látigo y el caballo de tiro se puso en movimiento con lentitud. Los dos se sentaron en el carro, de espaldas al conductor y con las piernas colgando.

—Adiós —gritó el Corredor—, buen viaje.

El joven saltó y corrió a su encuentro.

—Me he olvidado de darte esto —dijo deprisa—, es un retrato de la mujer que conocí anoche, te lo dejo como recuerdo. Y volvió corriendo al carro que ya enfilaba la Via Emilia.

El Corredor abrió la nota. Era una hoja arrugada, de papel de embalar. Dentro estaba escrito: «Prostituta... ¿Quién te llamó a la vida? ¿De dónde vienes? ¿De los ásperos puertos tirrenos, de los mercados cantarines de Toscana o en las arenas ardientes sufrió violencia tu madre bajo los sirocos? La inmensidad dibujó el estupor en tu cara felina de esfinge. El hálito bullicioso de la vida trágicamente, como una leona, te agita tu melena negra. Y tú miras al sacrílego ángel rubio que no te ama y que no amas y que sufre por ti y que cansado te besa.»

4

Regolo vendía *marañas* de todos los colores, que eran pequeñas madejas de hilo para remiendos: y también novelas de folletín de entregas mensuales y papelitos de la fortuna. Los papelitos de la fortuna eran hojitas amarillas, rosas y verdes que tenían el lunario y la suerte y que se entregaban al comprador por el pico casual del loro Anacleto, pescador del Destino. Anacleto era viejísimo y tenía una pata enferma. Regolo lo curaba con un ungüento chino comprado en Sottorripa, en Génova, donde a veces los chinos instalan un mercadillo y venden baratijas y remedios contra la artritis, el envejecimiento viril y las úlceras. Pero Anacleto era testarudo, protestaba por las curas aleteando con furia. Luego se dormía en la percha, con la cabeza bajo el ala, y de vez en cuando, durante el sueño, tiritaba e hinchaba el plumaje, como si soñara.

Quizá los loros también sueñan con el añil, pensaba Dino. El carro andaba con lentitud, bamboleándose, con el ruido monótono de las llantas de las ruedas. El campo era hermoso y sin confines, siempre idéntico, con hileras de árboles frutales y tierras aradas. Dino pensó en el añil, y la música del añil sustituyó al chirriar cadencioso de las ruedas. Y cuando se despertó, Regolo le estaba sacudiendo por el hombro, porque habían llegado a Reggio Emilia.

Descendieron en la Porta Santa Croce, era una tarde clara, el carretero dijo «¡Arre!», y restalló el látigo y el caballo prosiguió lentamente. Regolo debía recoger unos artículos de un mercader que estaba detrás de la fábrica de los Bagni; por lo que se citaron en el Café Vittorio de la plaza Cavour, y Dino se fue solo de paseo por la ciudad, ya que quería ver la casa donde había nacido Ariosto. Se llevó a Anacleto encaramado en su palo, porque era un estorbo para Regolo, mientras que a él le hacía compañía. Se sentía feliz caminando por las calles de aquella ciudad desconocida en compañía de un loro. Y así, caminando, empezó a acompasar sus pasos con una cancioncilla inventada en aquel momento y que decía: «Me marcho por calles estrechas, oscuras y misteriosas: veo asomarse tras los cristales a Gemas y Rosas.»

5

Cuando Regolo llegó al Café Vittorio, Dino acababa de terminar de trabajar en aquel momento. Sobre la mesa estaban colocados en tres mazos los papelitos de la fortuna ordenados según el color.

—Tengo que explicarte algo —dijo Dino—. Si me quedo contigo algunos días quiero dar mi contribución al negocio, y por ello te he completado los papelitos, he inventado una frase para cada uno.

Regolo se sentó y Dino le explicó en qué consistía su aportación. Consistía en embellecer cada hojita con una frase artística, porque era bello que el arte llegara así a la gente, llevada por el pico de un loro que elegía al azar entre las hojitas del destino. Y aquélla era la extraña función del arte: llegar con el azar a personas al azar, porque todo es azar en este mundo, y el arte nos lo recuerda, y por eso nos pone melancólicos y nos reconforta. Nada explica, como no explica el viento: llega, agita las hojas y los árboles quedan atravesados por el viento, y el viento vuela y se marcha.

—Léeme alguna frase —dijo Regolo.

Dino cogió un papelito rosa y leyó:

—Y me marchaba errando sin amor, dejando mi corazón de puerta en puerta. —Después cogió un papelito amarillo y leyó—: Oro, mariposa dorada polvorienta, ¿por qué han brotado las flores del cardo? —Finalmente, tomó un papelito verde y leyó—: Tú me trajiste un poco de alga marina en tus cabellos y un olor de viento. —Y explicó—: Esta frase está dedicada a una mujer que un día encontraré en un puerto, pero ella no sabe todavía que nos encontraremos.

—¿Y cómo sabes tú que os encontraréis? —preguntó Regolo.

—Porque a veces soy un poco adivino. Bueno, no es exactamente así.

—Entonces, ¿cómo es?

—Imagino algo tan fuertemente que luego ocurre de verdad.

—Entonces, lee otra frase —dijo Regolo.

—¿De qué color la quieres?

—Amarilla.

—Es el color de la música de órgano. El violeta, en cambio, tiene música de oboe, a veces de clarín.

—Me gustaría oír una amarilla.

Dino cogió un papelito amarillo y leyó:

—Porque se revela un rostro, hay como un peso esconocido sobre el agua corriente, la cigarra que canta.

6

Iban de casa en casa, vendiendo madejas y distribuyendo papelitos de la fortuna. Atravesaron el valle del Crostolo y tomaron la carretera hacia Mucciatella y Pecorile.

Por la noche, dormían en pajares de caseríos y hablaban de muchas cosas, especialmente de la bóveda celeste, porque Regolo conocía bien las estrellas y sabía su nombre.

Regolo tenía una enamorada en Casola que les hospedó durante cinco días. Se llamaba Alba, era una mujer sola, con un viejo padre enfermo, y Regolo le hacía de marido una vez al año.

En esos días, Dino trabajó en el establo para pagar la hospitalidad. Era un establo pobre, con un cerdo y dos cabras.

Al sexto día partieron y siguieron el lecho del torrente Campola para llegar a Canossa.

Había caseríos diseminados por los alrededores, pero los saltaron para ir a ver las ruinas del castillo. Desde aquella altura, la vista era magnífica, con la vasta llanura del Po a sus pies.

Allá, en aquella llanura, corría la Via Emilia, como una larga cinta de promesas, por el norte hacia Milán: y más allá estaba Europa, las metrópolis modernas llenas de electricidad y de talleres donde la vida pulsaba como la fiebre. También Dino tenía fiebre; le latía de nuevo en las sienes como aquel día en que subió al tren en la estación de Bolonia empujado por la inquietud del viaje. El cielo era amarillo, con manchas violetas. Dino escuchó una música de oboe y se lo dijo a Regolo. La música era aquella carretera que le llamaba desde lejos. Puso la percha de Anacleto en el suelo y abrazó a Regolo con fuerza. Lo dejó sentado en una piedra de Canossa y corrió deprisa hacia la llanura, hacia la carretera. La carretera, y su voz de sirena. Pensaba: «Aspero preludio de sinfonía sorda, tembloroso violín de cuerda electrizada, tranvía que corre en una línea en el cielo de hilos curvos.» Y se decía: «Ve, Dino, camina más deprisa, corre lejos, la vida es pequeña y demasiado vasta es el alma.»

Este cuento es enteramente imaginario. Aunque la figura de Regolo Orlandini es recordada en las confesiones recogidas por el doctor Pariani, aquí se utiliza de un modo totalmente arbitrario. Las únicas cosas no imaginarias son los versos de Dino Campana; y también las ciudades, los lugares, la Via Emilia.

A. T.

Dino Campana (1885-1932), autor de los *Cantos órficos*, vivió de forma bohemia alternando sus viajes por Europa y América con estancias en sanatorios mentales. En 1918 ingresó en el de Castel Pulci (Florencia) donde permaneció hasta su muerte y en el que el doctor Pariani recopiló los recuerdos del poeta. *(N. de los. T.)*

UNA JORNADA EN OLIMPIA

¡Oh, Tebas, mi gran amor!

Qué hermoso era atravesar las antiguas puertas que conocieron el mito trágico, recorrer en carro la gran calle de los palacios, moderar el paso entre la multitud del mercado para que el pueblo viera sus coronas de laurel y los caballos adornados de mirto.

—Ve despacio —dijo al siervo y alzó las manos al cielo en señal de victoria. Oía el murmullo de la gente, la admiración de las mujeres, los comentarios de los chicos: «Es el hijo de los Egedas, que pocos días atrás era un niño y ahora pertenece a los hombres, ya es hombre después de Olimpia, regresa vencedor.» Hizo detener el carro y cogió las guirnaldas de mirto del cuello de los caballos para lanzarlas a la multitud.

—¡Viva Tebas y viva Beocia! —gritó—, ¡viva Grecia entera!

Egina le esperaba en el umbral con las esclavas y los perros. Egina, alta y morena en su peplo blanco, le daba la bienvenida y le esperaba como mujer para el hombre que por fin era. Saltó del carro y abrió los brazos de par en par. Egina hizo una inclinación con la cabeza y le ofreció su bienvenida. Las esclavas arrojaron pétalos y se arrodillaron.

—Entra en mi casa que es también la tuya —dijo Egina y le precedió en el atrio.

Grande era la casa de Egina, y antigua. Había sido construida por sus abuelos cuando todavía no había roces entre griegos y persas, y desde Tebas la gente rica iba de vacaciones a Persia para disfrutar de los refinamientos de aquella civilización. Del primitivo gusto oriental, el edificio conservaba ciertos objetos y los colores de las paredes: rojos encendidos y azules lánguidos, y lozas ocres y celestes, alfombras; y fuentes por todas partes, en los patios, bajo los pórticos y en la gran sala de las columnas. El Vencedor recordaba aquellos ambientes frescos y sombreados; recordó sus juegos infantiles con Egina y las carreras entre las columnas, las carcajadas inocentes de la niñez, en un tiempo que acababa de pasar y que no era ya suyo, y pensó en el Tiempo. Los pies veloces del Tiempo, que dejan huellas de las cosas en la memoria sin que esas cosas existan ya. Y así, cuando llegaron a la sala central y Egina le hizo recostarse sobre los cojines en la posición más cómoda para que contase su jornada victoriosa, él comenzó a hablar del Tiempo que había sentido en Olimpia.

—El único testigo de exacta verdad, el Tiempo, reina. Su imperio no concierne sólo a la clepsidra, sino que a todo extiende su poder, porque es la armonía y el movimiento, el compás y el ritmo, la escanción, la pausa, el silencio. Y es en su honor que Hércules, el fuerte hijo de Zeus, en cumplimiento de la voluntad de su padre, tras una dura guerra con sus enemigos, fundó los juegos. Tras reunir sus gentes al completo y el botín, se dirigió al Altis de Olimpia, trazó en honor de su padre un espacio sacro y señaló el terreno con una valla; y a la colina que antes no tenía nombre y estaba envuelta en torrentes nevosos dio el nombre de Cronos.

»Eso es, y así llegas y sientes su presencia: la respiración del Tiempo. Llega con la brisa de la tarde, un soplo, y eso es Tiempo. Alienta en todas las hojas de los frondosos sauces, cada uno de los cuales se mueve con su propio ritmo: y eso es Tiempo. Brilla con el cielo que el lucero de la tarde enciende: y cada luz temblorosa es Tiempo. Respira en el interior de los hombres, que con su respiración son Tiempo vestido de carne. Y tú en aquel lugar comprendes que la competición es como la música, la danza y la poesía; y que Tiempo gobierna el cosmos.

»Yo llegué al atardecer y el estadio relucía de antorchas. La gente cantaba, las mujeres y los hombres habían celebrado en los bosques los ritos de Eros, y sus voces eran apagadas y cálidas; los niños habían entrelazado guirnaldas de flores y dormían tendidos sobre la hierba. El rostro de la diosa nocturna aparecía pleno y blanco con un difuminado rojo sobre las mejillas que prometía calor para el día siguiente; escasas las nubes, sólo una ligera bruma que ascendía desde los ríos y los bosques y que se dispersaba como el humo en la brisa nocturna. Seguí con los compañeros al gimnasiarca hasta el templo de Zeus para las ofrendas votivas; después dejé a los compañeros y descendí la colina con el paidotriba y fui a cenar al poblado. Quería estar sólo con el paidotriba porque éste es casi un viejo y ha estado muchas veces en Olimpia: es un hombre agudo y conoce los juegos y las virtudes de los atletas, y tiene siempre algún buen consejo que dar.

»El lugar estaba en fiestas, atravesado por las procesiones y la gente celebraba banquetes fuera de sus casas. Evitamos las invitaciones a los banquetes, porque no convienen a un atleta en la noche anterior a la competición, y el paidotriba me condujo al linde del poblado, donde acaban las casas y comienza el campo y se oye ladrar a los perros en el silencio de la noche de la Elide. Allí hay una taberna hecha de piedra pero con el techo de ramaje y con largas mesas de madera bajo los cañizales; la taberna pertenece a una mujer de Cinoscéfalos que tiempo atrás yacía con el paidotriba, cuando ambos eran jóvenes y el paidotriba no entrenaba a los atletas, sino que era atleta él mismo, de modo que entre ellos hay mucha intimidad y confianza, como entre marido y mujer. Se llama Hera y es una mujer morena, de hombros robustos y de costados anchos, que ríe con frecuencia y habla como un hombre. Nos había preparado cordero y vino resinoso, y nos sentamos y cenamos con creces. Y entonces el paidotriba me dijo: "Quien compite en las cinco pruebas debe ser más bien pesado que ligero y más bien ligero que pesado."

»Yo pregunté qué significaba ese misterio, porque no se puede ser ligero y pesado al mismo tiempo. Y entonces el paidotriba sonrió con el aire de los hombres expertos y dijo que la gran habilidad de los atletas del pentatlón consiste en mantenerse ligeros, con los costados ágiles y flexibles para doblarse hacia atrás en el lanzamiento de jabalina y para el salto y la carrera; pero en el momento oportuno hay que saber concertar toda la tensión muscular en los brazos, y volverse pesados, para el lanzamiento de disco y para la lucha. Y después añadió que esta concentración era difícil de conseguir, porque las pruebas del pentatlón están cerca unas de otras y su orden puede variar según las disposiciones de los jueces; y por lo tanto es difícil prepararse mentalmente con anticipación, aunque pensaba que este año la carrera se habría disputado entre las últimas pruebas, por lo que haría bien en mantener toda mi ligereza para el final de los juegos. Luego, tras haber cenado y bebido vino fuimos hasta el campamento de los tebanos que había sido instalado en el valle a orillas del riachuelo; mucha otra gente, sin embargo, se había establecido en aquel lugar, personas que venían de las ciudades más lejanas para asistir a los juegos y acampaban al aire libre, alrededor de grandes fuegos y asaban carnes y mostraban alegría. Pasamos por delante del campamento de los espartanos, pero sin acercarnos, porque ellos no lo toleran. El campamento estaba en silencio como si estuviera ya inmerso en el sueño, aunque se veía alguna antorcha entre las tiendas, y centinelas rudos a los que no se puede dirigir la palabra estaban alerta en cada esquina del campamento.»

Las esclavas entraron con bandejas de fruta y con las resinas y los inciensos para derramar en los braseros. Egina hizo llenar las copas y abrió los frutos maduros. La sala era fresca y perfumada, un músico persa, en la tina del atrio, comenzó a tocar el pífano. Era una antigua cantilena pausada y perezosa que endulzaba la atmósfera y hacía más lentos los gestos. Egina se recostó sobre los cojines y sonrió. Su espíritu estaba en Olimpia, detrás del recuerdo de un peregrinaje lejano, cuando ella era niña y sus padres era jóvenes.

—Cuenta —dijo—, cuéntame tu jornada en Olimpia.

El Vencedor se recostó sobre los cojines abandonando la cabeza entre los cabellos de la mujer. Cerró los ojos y comenzó a relatar.

—El sol estaba surgiendo y el gran estadio aparecía repleto por la multitud. Era la jornada de los *paides* y era grande la expectación porque aquellas pruebas revelarían a los mejores atletas de la Grecia futura. Todas las ciudades habían enviado a sus observadores, algunos mediante delegación, otros de incógnito entre la multitud. Reconocí a mis enemigos: el gramático Aurelios, el viejo jorobado envidioso; Thavanos, el espía, que antes estaba con los persas y ahora está con los atenienses, pero que quizá trabaja para ambos; Hanna, la delgada y maligna mujer que yace con los viejos y teje oscuras tramas en los gimnasios de Atenas. Los amigos, por el contrario, se habían concentrado en la curva del estadio, donde terminan las gradas y los claros herbosos están sombreados por un bosquecillo de pinos; y tendidos sobre la hierba miraban pasar los equipos de los atletas y a mi paso cantaron con alegría.

»Me senté aparte, en espera de que terminaran las pruebas de los hombres. El día estaba dorado por el sol naciente, el campo de Olimpia brillaba de rocío, sobre las colinas vagaban todavía retazos de niebla nocturna. No sé por qué me invadió una gran dulzura, como un cansancio del ánimo, pero suave y sin melancolía; casi como un embeleso, como cuando el sueño te toca con los ojos abiertos. Jamás había sentido aquella sensación; y en aquel momento descendió a la arena Jenofonte de Corinto, estadiodromo y pentatleta, para recibir los honores de la multitud. Levantó los brazos de manera cortés y luego se puso a correr en torno del estadio, sin prisas pero sin lentitud, con la seguridad del vencedor que ha sabido calibrar sus fuerzas, como algunos viejos sabios que te cuentan a veces su vida y tú los respetas porque comprendes que han sido capaces de administrar todo lo que el destino les ha reservado. Lo seguí con los ojos, y dentro de mí oí una voz que decía: "En cada acción existe una medida: captarla es propio del momento óptimo." ¿De dónde provenía aquella voz y quién hablaba dentro de mí? Claro que era yo el que estaba pensando pero al mismo tiempo no era yo, sino casi un habitáculo que devolvía el eco de otro sonido. De manera que cogí una ramita y con la punta escribí en la arena la voz que había oído; y la voz, al hacerse escritura, se dispuso por sí misma en dos líneas, con esta pausa:

En cada acción existe
una medida: captarla es propio del momento óptimo.

Eran dos versos, el retazo de una poesía. Con ellos

llegaron otras palabras, pero eran tumultuosas, afanadas, yo no era capaz de seguirlas, de plegarlas a mi oído y a mi mano. Mientras tanto, en el estadio habían aparecido los dolicodromos y se habían preparado para la salida de la larga carrera entre el clamor de la multitud. Era una de las últimas pruebas de los hombres, antes de que los carros decretasen la pausa y los niños entraran en la competición. Después de la salida, el griterío se alzó para incitar a los atletas, y cuando éstos estaban en el momento de máximo esfuerzo, después de tres vueltas a la pista, uno de ellos se destacó hacia adelante, ligero como si sus pies rozaran el suelo. Se llamaba Ergóteles de Imera y la multitud coreaba su nombre porque era un exiliado de Creta, y también por eso le amaban, porque su vida había sido infeliz, marcada por duras pruebas y por humanas derrotas, y ahora él se encaminaba hacia una victoria. Casi frágil era su carrera, como de cervato vivaz que huye en el bosque, y en aquel modo de correr había alegría y vida y sabiduría natural. De nuevo me llegó la voz, oí las palabras y, lentamente, porque la voz era pausada y clara, cogí la ramita y escribí en la arena:

... Las humanas esperanzas
surcan un mar de vanas falsedades:
arriba muchas veces, abajo otras, van rodando.
Jamás hasta el momento halló mortal alguno
señal fiable de la acción futura por un dios enviada:
cegada está la percepción de lo venidero.
El dado de la fortuna le presenta al hombre con frecuencia
                                [una cara inesperada:

a unos les da la espalda la alegría, mientras que otros, aun-
                                        [que inmersos
en la tempestad del sufrimiento,
en breves momentos cambian su pena por honda bonanza.

Hijo de Filénor, en verdad la valía de tus pies,
cual la de un gallo dedicado a domésticas peleas junto al
                                        [hogar familiar,
se habría deshojado sin gloria,
si la revuelta, que a los hombres enfrenta,
no te hubiera privado de tu patria cnosia.

»Hubiera querido escribir otras palabras, pero los carros descendieron a la arena para las vueltas de celebración y el paidotriba me llamó porque las pruebas de los niños estaban empezando. Yo he cogido mis *halteres*, porque la primera de las cinco pruebas era el salto y los he alzado en señal de saludo a la multitud. Mis *halteres* son muy hermosos, de piedra pulida y finamente trabajada, y más que un utensilio de competición son dos pequeñas esculturas. Me los ha construido Regolo de Pérgamo, un escultor que ama las figuras de mujer, tienen una forma irregularmente redonda, son frágiles y no pesan como los de los atletas mayores, pero a mí no me importa, porque el impulso que me viene de empuñarlas en el salto no deriva del peso, sino de su dinámica y de las líneas. En ellas hice esculpir una mujer de grandes ojos y de semblante armonioso, recogida como una concha; y esa mujer eres tú, Egina, como yo te recuerdo en nuestra infancia cuando paseábamos por la ciudad cogidos de la mano y nos amábamos

114

con el amor de los niños, hecho de rubores y silencios.

»De esta manera llegamos a la tarima y los primeros en competir fueron los espartanos, que son temibles en la lucha y en el disco, pero no en el salto, porque, como dice el paidotriba, no saben volverse ligeros cuando es necesario; y de hecho gritan al saltar y su salto carece de armonía y consiste nada más que en la fuerza, que es la expresión de lo pesado. Por el contrario, los atletas de otras ciudades se hacen acompañar por flautistas, para hallar en la música el ritmo del salto, que más que cualquier otra prueba es deudor del compás y de la melodía. En efecto, los pasos de la carrera deben estar medidos, para no batir con el pie fuera del límite señalado, y el cuerpo debe ser armonioso en el aire, con los *halteres* tendidos hacia adelante y los brazos listos para ser flexionados en el momento de la caída.

»Los laconios sobresalen en el arte del salto, porque lo practican desde su más tierna edad, y son agilísimos y delgados, avaros con su cuerpo como lo son con las palabras. Para entrenarse se obligan a saltar en posición de firmes, con los pies juntos, y después de un primer salto son capaces de dar otro como las cabras; por lo tanto, en el salto de competición, en el que se consiente la carrerilla, proceden de manera cómica, con una carrera a pequeños saltos, muy sincopados, y por ello se hacen acompañar de músicos que junto con la flauta tocan la pandereta, como en sus danzas nupciales.

»Nosotros los tebanos habíamos llevado, en lugar de las flautas, tres pastores de Beocia con sus caramillos: y cuando ellos iniciaron sus melodías, sobre el estadio descendió un grave silencio de respeto, porque su música tenía algo de soberbio y el dios Pan estaba en sus humildes cañas. Primero saltaron los compañeros, y cuando llegó mi turno yo medí mi carrera, y en aquellos breves instantes de suspensión en el aire era en ti en quien pensaba, Egina, y en nuestra tierra de Beocia y en la perfección de Tebas. Después oí el estruendo de la multitud y al aterrizar era como si despertara de un sueño larguísimo; vi que estaba más allá del foso, como Phaulos de Crotona que saltó más allá del canal. Nunca había sucedido que un muchacho superase los cincuenta pies: mis compañeros me venían al encuentro y me alzaban en hombros triunfalmente; la multitud aclamaba mi nombre rítmicamente. Los pastores, felices, tocaban el caramillo y todo era alborozo. Entonces nos reunimos con los amigos bajo los pinos y allí nos recostamos bebiendo vino y comiendo queso de Beocia traído por ellos. Y mientras miraba los pinos altos, tumbado en la hierba, oí las palabras que faltaban a los versos que había escrito en la arena. Me bastó abrir la boca y los murmuré con mi voz, porque esa vez la voz era la mía:

Te suplico, hija de Zeus Liberador,
Fortuna salvadora, cuida de la poderosa Hímera,
pues tú en el mar gobiernas las veloces
naves y en tierra las violentas guerras
y las asambleas decisorias. Las humanas esperanzas
surcan un mar de vanas falsedades:
arriba muchas veces, abajo otras, van rodando.

Jamás hasta el momento halló mortal alguno
señal fiable de la acción futura por un dios enviada:
cegada está la percepción de lo venidero.
El dado de la fortuna le presenta al hombre con frecuencia
[una cara inesperada:
a unos les da la espalda la alegría, mientras que otros, aun-
[que inmersos
en la tempestad del sufrimiento,
en breves momentos cambian su pena por honda bonanza.

Hijo de Filénor, en verdad la valía de tus pies,
cual la de un gallo dedicado a domésticas peleas junto al
[hogar familiar,
se habría deshojado sin gloria,
si la revuelta, que a los hombres enfrenta,
no te hubiera privado de tu patria cnosia.
Pero ahora, coronado en Olimpia,
además de haberlo sido dos veces en Pitón y otra en el
[Istmo, o Ergóteles,
ensalzas los baños termales de las Ninfas
al morar junto a las tierras de tu propiedad.

»Mientras me murmuraba estos versos a mí mismo, comprendí que se trataba de un poema verdadero y acabado y al que faltaba sólo la melodía; y entonces llamé a mis pastores y les pedí que entonaran una música con una cadencia triunfal pero no soberbia; alegre en todo caso, porque el triunfo del atleta es la alegría de la vida, de la sangre, del ser. Ellos hicieron algunas pruebas, hasta que yo encontré el ritmo justo. Después, reuní a los amigos de Beocia y les rogué que me hicieran de coro

117

en los versos que había que repetir; y juntos cantamos mi poema, y al final danzamos sobre la hierba de Olimpia, mirando hacia la multitud y riendo.

»Estaba comenzando la prueba del disco, de modo que he comprendido qué sabio era el paidotriba que me había puesto en guardia sobre la dificultad de pasar de la ligereza a la pesadez. Porque yo era ligero como una hoja, danzaba en el aire, mis brazos eran leves y mi espíritu estaba en otra parte; la tensión de los músculos se había apagado, relajada en la música, me parecía imposible recuperarla y concentrarla toda para una prueba pesada. ¿Qué podía hacer? Los discóbolos estaban ya en la tarima mostrando sus vigor y mirando al suelo para no distraerse, mientras mecían, columpiándola, la mano que empuñaba el instrumento. Hay que saber, sin embargo, que la prueba de disco, aunque pesada, es también la más artificial, en el sentido de que para llevarla a cabo es necesario un artificio del cuerpo que obedezca a cánones imprescindibles. Las técnicas del lanzamiento son varias, pero la mía era la clásica de Atenas y de Tebas, que es la más ardua pero también la más agradecida. Para describirla diré que el atleta debe apoyar la pierna derecha en la tarima manteniendo la parte anterior del cuerpo doblada hacia adelante, de modo que aligere la otra pierna que es necesario impulsar hacia adelante para acompañar el movimiento de la mano derecha. Esta sumaria descripción no hace justicia a la complejidad de la prueba, por lo que hablaré del equilibrio con el que la prueba comienza. Se trata casi de una danza arcaica, basada en un balance nivelado para obtener el equilibrio del cuerpo sobre las piernas con el

118

eje en la pierna derecha. Tras estas fases iniciales es necesario concentrar la tensión corporal y la energía del impulso, para adquirir la cual el atleta levanta el disco a la altura de la cabeza con ambos brazos, el brazo izquierdo de apoyo, el derecho ya en la posición definitiva, con el disco apoyado en los dedos y adherido al antebrazo. El brazo derecho comienza en este instante su impulso, mientras la pierna izquierda lo acompaña hacia atrás para mantener el equilibrio. Es el momento de máxima concentración, el último pasaje del teorema geométrico: a la máxima extensión del cuerpo sigue el lanzamiento, mientras la pierna izquierda salta hacia adelante para equilibrar el cuerpo y mantenerlo en posición erguida.

»Cogí por tanto mi disco y me dirigí hacia la prueba. Mientras caminaba miraba el instrumento, concentrándome en sus figuras, porque como ninguna otra imagen éstas tienen sobre mí el poder de inducirme al artificio. Mi disco es pequeño, no como el de Protesilao o de los grandes atletas a su altura: es un pequeño disco de muchacho de peso modesto. Pero es de un bronce dorado y brillante, que yo lustro con mucho cuidado; también éste fue construido por Regolo de Pérgamo y representa de una parte una escena de gimnasio y de la otra las puertas de Tebas. En la escena del gimnasio se ve un flautista que acompaña el ritmo del entrenamiento y el gimnasiarca que sigue a los atletas con ojo atento. En el gimnasiarca hice representar el semblante de mi padre desaparecido, que siempre me acompañó de niño en mis juegos y en mi educación: por ello su mirada es serena y la posición del brazo suavemente dispuesta, porque quise que tuviera la compostura de los seres que pasaron por esta vida y que ahora la contemplan desde otra más serena. Los dos atletas somos mi hermano y yo. Mi hermano levanta los pesos que sirven en el entrenamiento para robustecer los hombros en el lanzamiento del disco. Está sentado y observa la posición que he adoptado para el lanzamiento. Y yo tengo el brazo izquierdo doblado, con el codo en alto. La pierna derecha está rígida en el impulso y la izquierda doblada se apoya en la punta del pie. El disco está pegado a las yemas de mis dedos, tendido hacia atrás todo lo que al brazo es posible en su máxima extensión; y mi cabeza, ligeramente doblada, parece incitarlo como si pensara; vamos, disco, vuela lejos.

»Así lo hice en la tarima de Olimpia. Lo lancé con una leve ebriedad, no sabía ya por qué competía y por qué quería vencer, el sol estaba alto y los cuerpos brillaban, los espartanos lanzaban sus gritos agudos y los fuertes atletas de la Magna Grecia exhibían vanidosamente sus músculos. Ocurrió como si fuera un don del dios: mi disco voló hacia el sol dando vueltas, y cuando descendió la multitud levantó al unísono un grito porque había vencido.

»Pero no había tiempo para el triunfo, porque los ancianos habían decretado el comienzo de la prueba siguiente, el equipo espartano empuñaba las jabalinas prietos hombro con hombro como en una batalla, y los atenienses jugaban con el instrumento mostrando su habilidad, en la cual se consideran insuperables. Pero ellos no saben que los tebanos pueden superarlos en destreza en el uso del lazo, que es de empleo oriental y al

120

que ellos no están acostumbrados. En efecto, nosotros somos habilísimos, exactamente como los persas, en usar este apéndice de la jabalina para imprimir al arma un movimiento rotatorio que sostiene la trayectoria y que consiente una dirección más precisa. Y así lo hice yo, pensando no en el dios de la guerra, que presupone la violencia, sino en la diosa de la caza, que exige la precisión: y mi jabalina se deslizó por el aire como si tuviera alas y trazó una gran curva ascendente; y voló lejos, como cuando de niño lanzaba piedras en el agua de los riachuelos consiguiendo vencer la resistencia de la superficie. Exactamente así iba mi jabalina: con pequeños saltos en el aire, como si estuviera por detenerse un instante, y, sin embargo, continuaba en su carrera venciendo la resistencia del aire, disminuyendo la velocidad y recuperándola después, casi como si la muñeca de un dios invisible la condujese.

»Entonces oí un nuevo estruendo en el estadio de Olimpia y comprendí que había vencido otra vez. Ah, cómo hubiera querido tumbarme sobre la hierba y dormir, hacer que reposaran mis miembros, que el maleficio del sueño había invadido. Corrí a la sombra hacia mis amigos, el sol estaba ya en lo más alto y hería los ojos; yo me recliné jadeante sobre la hierba y besé la tierra, y pedí al paidotriba que me dejara dormir un poco, el tiempo de una pequeña clepsidra, y que después competiría de nuevo.

»Pero él me sacudió la frente y vertió sobre mi cabeza una jarra de agua fresca, era imposible dormir, dijo, los atletas estaban en la tarima listos para la lucha, los juegos no daban tregua, había que combatir.

»De este modo descendí a la arena, y extrañamente me martilleaban en la cabeza los versos del divino Homero: "Crujían las espaldas aferradas por manos impávidas; y de los hombros se deslizaba el sudor, y numerosas hematomas rojas de sangre aparecían en los costados y en los hombros; pero ni Ulises podía hacerlo caer o empujarlo al suelo, ni lo conseguía Ayax, y era sólida la fuerza de Ulises..."

»Y tú no podrás creerlo, Egina, pero yo fui a la lucha armado no con mi fuerza, sino con la habilidad de los versos de Homero, con su ritmo pausado y jadeante cuando describe la lucha, como yo lo leía de niño en las frescas habitaciones de la casa de mi padre.

»Mi adversario era un muchacho con los miembros de hombre, de hombros poderosos y piernas de coloso. Se llamaba..., se llamaba... Ah, qué extraño, Egina, no sé ya cómo se llamaba, y recuerdo sólo el sueño que me había entrado, el deseo de dormir aunque fuera un poco, apenas el tiempo de una pequeña clepsidra, tendido en la hierba del estadio de Olimpia.»

—¿Qué te sucede, hombre victorioso? —Egina le tocó la frente y él se estremeció. Las esclavas rieron y él enrojeció de vergüenza. Estaba a punto de dormirse como un niño estúpido que cede a la debilidad del sueño. Miró a su alrededor. La casa de Egina, la gracia de las esclavas, la música del tocador de pífano persa: le parecía todo un sueño. Incluso su relato le parecía un sueño y no sabía ya dónde lo había interrumpido. Egina lo intuyó y le sonrió con aire maternal—. Tu adversario era un muchacho con los miembros de hombre, de hombros poderosos y piernas de coloso. Se llamaba...

El Vencedor se acomodó de nuevo en los cojines y continuó su relato.

—Se llamaba Cerción y provenía de Opunte, ciudad de grandes luchadores, templados en la acritud de la naturaleza como el metal más duro. Son renombradas sus aptitudes atléticas en todo el mundo griego, porque ellos se entrenan al aire libre, trabajando en los pozos que en su árida tierra son profundos, y extrayendo el agua de las cisternas con cintas de cuero colgadas del cuello, de modo que incluso cuando son jóvenes sus hombros se ensanchan desmesuradamente y su cuello, como el de los toros, se hincha recorrido de venas y de músculos. Su fuerza es tal que no da lugar a la habilidad de los luchadores ágiles, riendo de la astuta zancadilla o de la repentina llave en la cual es necesario sujetar el brazo del adversario para hacerle volar sobre los hombros. Y por lo demás sería imposible levantar por encima de los hombros a semejantes colosos, con el riesgo de quedar aplastados bajo el peso de su cuerpo y de caer desplomados sin vida sobre el terreno.

»Su presa preferida es alrededor del tronco, porque sus brazos son como tenazas y pueden hacer crujir las vértebras del adversario o romperle los riñones, hasta tal punto que a menudo obtienen la victoria *akoniti*, es decir sin competir, porque su adversario teme por su incolumidad y renuncia al enfrentamiento.

»Cerción se había rociado de polvo en vez de aceite, porque los luchadores de su clase no quieren evitar la presa, sino que, por el contrario, la desean para poder a su vez estrecharla con más fuerza. Estiraba los brazos en toda su temible extensión y apuntalándose con un pie hacia atrás como sostén, encorvando los hombros, inclinando ligeramente el cuello y estirando todo el cuerpo, estaba listo para llevar a cabo su llave. Yo le imité, como si él se viera en un espejo, y de esta manera nuestras cabezas se acercaron hasta casi tocarse mientras nuestras manos se rechazaban recíprocamente para impedir movimientos repentinos. Sentía el olor acre de su cuerpo y la respiración impaciente, como la de un caballo que piafa antes de la salida. Sentí sus brazos, de repente, atenazarme los hombros y atraerme hacia él. Pero cuando me aferró a mitad de la espalda mi cuerpo grasiento escapó de sus tenazas feroces; él me ofreció el cuello como un animal estúpido, y yo le ataqué precisamente en su fuerza de hombre jactancioso. Y él cedió, no porque fueran débiles sus músculos, sino porque era débil su inteligencia: su cuello poderoso, aferrado por un lado se dobló como el de una mujer, la espalda se encorvó, las piernas cedieron y él se derrumbó al suelo envuelto en sus cintas de cuero, la tierra retumbó por el golpe y la multitud de Olimpia, por cuarta vez, alzó un grito de victoria por mí.

»Entonces yo me fui corriendo sin atender a los honores de mis compañeros, me tumbé a la sombra de los pinos centenarios y dije al paidotriba que quería dormir con el pecho tendido sobre la frescura de la tierra, me quité la sed con una jarra de agua y me abandoné sobre la hierba.

»El paidotriba parecía inquieto y balbuciaba a mi alrededor con nerviosismo, porque sostenía que un atleta no puede abandonarse al sueño antes de la última prueba. Yo se lo rogué con respeto, pero él tenía toda la intención de impedirme el sueño, de modo que fue corriendo hasta donde estaban los amigos tebanos y les animó a hacerme desistir de mi propósito. Inmediatamente se encendió una discusión entre Iolaos y Sóstratos, y la mitad del grupo se puso de parte del primero, la otra mitad de parte del segundo. Iolaos es un tebano a la antigua, de aspecto grave, orgulloso como el antiguo nombre que lleva, que es también el nombre de nuestra Tebas. Pertenece al partido de los oligarcas, cultiva las tradiciones y conoce todas las historias de los héroes y de los atletas de nuestra ciudad. Conoce también los mitos y habla con tono sabio usando palabras esmeradas. Comenzó por recordar que el reino de los muertos está gobernado por uno de los doce grandes de Olimpia, Hades, y que se sitúa en los estratos más secretos de la tierra. En su reino, encerrado por el río del olvido, habitan también el Sueño y su hermana, la Muerte. Por lo tanto, en su opinión, un atleta que cede al sueño antes de la competición acepta de antemano la eventual derrota, porque el sueño es un viaje hacia el reino de los muertos, y cuando cedemos a su poder jamás sabemos cuánto tiempo permaneceremos allí, ni qué impresiones traeremos con nosotros al despertar. En efecto, no se puede prever a cuál de sus tres hijos nos confiará el dios Hipno. Si es Morfeo, soñaremos con figuras humanas, pero si es Icelo soñaremos con pájaros y cuadrúpedos, que son propios de los pintores;

si es Fantaso soñaremos sólo con objetos inanimados que son propios de los arquitectos y de los geómetras pero no de un atleta, porque son fuente de estaticidad.

»Tomó la palabra Sóstratos, que es un joven médico de Tebas. El no rechaza la sabiduría tradicional, pero en su academia busca nuevos fármacos para aliviar los males de los hombres, por ello conoce bien los secretos del cuerpo. Argumentó que los músculos no tienen una vida propia, sino que dependen todos de sutilísimos hilos conectados con nuestra mente. Sólo en ésta reside el mando central de la fuerza y del vigor, y cuando la mente está obnubilada también el cuerpo está envuelto en una esfera de nubes invisibles, cuando la mente está turbada también el cuerpo se turba y enferma, porque el cuerpo es sólo un envoltorio del soplo que habita dentro de nosotros, y este soplo se llama Idea. Además, aun cuando se quisiera creer en el mito, era verdad que los sueños ascienden desde el reino de Hipno y de su hermana, pero es necesario recordar que si éstos salían por la puerta de mármol de Hades se trataba de sueños falsos, mientras que si salían por la puerta de cuerno se trataba de sueños veraces. Y él sostenía que por verdaderos se debe entender no solamente los sueños que son verosímiles, sino también aquellos que se refieren a las visiones de la emoción, como las visiones de los artistas, que son siempre verdaderas aun cuando parecen fantásticas. Por ello concluyó que un atleta como yo, que había creado los versos que habíamos cantado juntos, merecía una visita al reino de Hipno, porque ésta restauraría mis músculos y daría a mi mente los sueños de la puerta de cuerno.

»Entonces Iolaos recurrió al mito para presentar objeciones, y relató que la residencia de Hipno surge cerca del lúgubre pueblo de los cimerios, en un valle profundo donde el sol nunca se alza y donde la semioscuridad envuelve todas las cosas en sombra. En esta región la paz no está turbada por el menor ruido: no existe clamor de voces, los gallos no cantan ni los perros guardianes rompen el silencio ni el follaje de los árboles se agita al soplo del viento. El único sonido proviene de la plácida corriente del río Leto, el río del olvido, cuyo murmullo propicia el sueño. Fuera de las murallas del reino crecen amapolas y hierbas de poder embriagador, mientras en el interior de la ciudad el dios de la somnolencia yace en un suave lecho de plumas... Oí sus palabras alejarse y luego desvanecerse, y el sueño me arrebató en su lecho de plumas haciéndome sentir sereno e imperturbable, aunque fuera consciente de que faltaba la última prueba para ser el vencedor, la gran prueba. Y en ese momento soñé que vencía en la carrera.

—¡La carrera, la carrera!

Abrió los ojos y vio el estadio de Olimpia repleto por la multitud. El paidotriba, de pie, levantaba los brazos al cielo y gesticulaba en señal de desesperación.

—¡La carrera está comenzando —se lamentaba—, y tú duermes como un estúpido niño de pecho en la cuna!

Se espabiló y se sentó. El sol estaba en lo alto y hería los ojos. Debía de ser la primera hora de la tarde, en el estadio resonaba el griterío y los atletas estaban formados en la línea de salida.

Por lo tanto, había sido todo un sueño, figuras de sombra que recitan en el escenario de nuestra mente cuando ésta reposa; un largo sueño que le había arrebatado en la hierba, a la sombra de los pinos, tras la segunda prueba. Para despertarse completamente se echó por la cabeza un ánfora de agua. ¿Dónde estaba Egina, el frescor de sus habitaciones y la música del tocador de pífano persa? Todo desvanecido con el sueño. ¿Y los amigos de Beocia con los que había venido? ¿Y sus poesías? También éstas un sueño, como soñar con vencer la carrera había sido un sueño dentro de un sueño. Se levantó y miró a su alrededor confuso. El paidotriba, ya en el campo con los otros atletas de Tebas, gritaba algo con el rostro morado, golpeándose el pecho con las manos y señalándole las lejanas pistas. Faltaba sólo él, su fila estaba vacía entre los atletas de Olimpia.

Sin saber lo que hacía echó a correr hacia la línea de salida. Después se detuvo un instante porque la multitud había enmudecido de estupor al verlo descender a la arena cuando los otros estaban ya saliendo, y en el inesperado silencio se oía al paidotriba que continuaba gritando:

—¡La carrera, la carrera!

Era la carrera y él se había dejado arrebatar por el sueño como un niño, apenas tras dos pruebas. Pero aquellas pruebas no las había soñado, habían tenido lugar de verdad y él se había comportado con honor, aunque no hubiera vencido. Su corazón latía deprisa. En las pistas vio a sus adversarios: en primera fila el coloso Cerción, al que había vencido solamente en sueños, estaba ya dispuesto para la carrera tendiendo hacia el suelo sus enormes brazos. Todos los atletas, con el cuerpo brillante, se encorvaban para la salida, y él estaba aún demasiado lejos, tan lejos. Y entonces tuvo una inspiración. Se dio la vuelta hacia el paidotriba desesperado y gritó:

—¡Lo escribiré, escribiré todo!

Volvió a correr hacia la salida, con el aliento latiéndole ya en las venas del cuello.

—¡Escribiré todo —gritaba—, relataré los juegos de Olimpia! —Se detuvo y levantó los brazos con aire triunfal—. ¡Yo soy Píndaro! —gritó hacia la multitud silenciosa—, ¡me llamo Píndaro, yo escribiré estas competiciones, trasmitiré estos días! —Continuó su carrera. Faltaban todavía muchos pasos hasta la línea de salida, y ya los veloces pies de los atletas levantaban el polvo sagrado del estadio de Olimpia.

Naturalmente, no consta que Píndaro (nacido en Cinoscéfalos, cerca de Tebas, hacia fines del siglo V a. C.), gran poeta lírico, autor, entre otras cosas, de las *Olímpicas*, haya participado nunca, ni de muchacho ni de adulto, en las olimpiadas. Los versos utilizados en el texto sí pertenecen por el contrario exactamente a Píndaro [en la traducción española de Emilio Suárez (Ed. Cátedra)], y proceden de la XIII y de la XII *Olímpica* (juegos del 464 y 472 a. C.). Las opiniones sobre la ligereza y la pesadez de los atletas del pentatlón, que aquí se atribuyen al humilde paidotriba, son en realidad de Teócrito. Parece además que el pentatlón infantil fue disputado una sola vez en toda la historia de los Juegos Olímpicos. El orden de la prueba, en fin, estaba rígidamente establecido y no dejado al capricho de los jueces, como el cuento da a entender. De todas estas licencias, y de otras aún más flagrantes como la descripción de los atletas laconios o de Opunto, es responsable la fantasía del autor de este cuento.

A. T.

INDICE